Noëlle Châtelet

Die Dame in Blau

NOËLLE CHÂTELET

DIE DAME IN BLAU

Roman

Aus dem Französischen
von Uli Wittmann

Kiepenheuer & Witsch

Für die deutsche Ausgabe wurde der Name der Hauptfigur in Absprache mit der Autorin geändert.

1. Auflage 1997

Titel der Originalausgabe: *La dame en bleu*

Aus dem Französischen von Uli Wittmann

Umschlaggestaltung: Silke Niehaus, Düsseldorf
Umschlagmotiv: August Macke,
Frau des Künstlers mit Hut
Westfälisches Landesmuseum
für Kunst und Geschichte, Münster
Gesetzt aus der Walbaum Standard, (Berthold)
bei Kalle Giese Grafik, Overath
Druck und Bindearbeiten: Pustet, Regensburg
ISBN 3-462-02639-9

Mireille geht durch die Stadt. Sie läßt sich von der Strömung tragen, vom unaufhörlichen Menschenstrom. Nichts treibt sie zur Eile an, nichts zwingt sie, den Rhythmus einzuhalten, doch sie tut es. Das ist so. Das war schon immer so.

Weiter vorn auf dem breiten Boulevard gerät der Strom ins Stocken. Irgend etwas behindert seinen Fluß. Man kommt nicht mehr von der Stelle. Die naturgegebene Ordnung, der Rhythmus sind in Gefahr. Einen Umweg oder ein anderes Tempo, weil irgend etwas den Weg versperrt, den Strom behindert, niemand hat das um diese Zeit gern.

Jetzt erreicht auch Mireille dieses Irgend etwas. Überraschung: eine alte Dame.

Ist etwa dieses winzige Wesen an der Verzögerung schuld?

Mireille läßt sich überholen. Die Leute gehen an ihr vorbei, werfen einen wütenden Blick auf die Schrittverderberin, dann gehen sie schneller, fest entschlossen, sich dem Strom wieder anzuschließen, aufzuholen, das Tempo, den allgemeinen Schwung wiederzufinden, als hätten sie sich abgesprochen, als verfolgten sie dasselbe Ziel.

Mireille zögert. Verlangsamt den Schritt. Zu behaupten, der Gedanke sei ihr gekommen, wäre übertrieben. Eher ein Impuls. Ein Impuls drängt sie plötzlich, sich dem Gang der unerschütterlichen alten Dame anzupassen, die neben ihr geht und bedächtig ein Bein vor das andere setzt, sehr gewissenhaft, schön im Takt, mit wohlbemessenem Druck des Fußes auf den Gehweg und sanftem Wiegen des Körpers, den Kopf ein wenig geneigt, als lausche sie dem gleichmäßigen Rascheln ihres dunkelblauen Kleids aus Seidenkrepp, wenn es die hellen Baumwollstrümpfe streift. Das weiße Haar, das im Nacken unter dem ebenfalls blauen Hut zu einem Knoten geflochten ist, die zu der kleinen Handtasche aus geflochtenem Leder passenden Netzhandschuhe, alles ist sorgsam bedacht, damit es ein eleganter Spaziergang wird.

Die alte Dame in Blau geht gemessenen Schritts, von einer gewissen Würde erfüllt, ohne die Hektik rings um sie her zu beachten. Sie schlendert betont, wenn auch ohne Aggressivität, während die anderen rennen.

Mireille hat sich nach und nach dem Gang der alten Dame angepaßt. Sie hat den Schritt gewechselt, ihr eigenes Wiegen gesucht. Jeder ihrer Schritte wird zu einem neuen Genuß. Die Langsamkeit verleiht ihnen einen ungewohnten Reiz.

Lange geht Mireille so in den Fußstapfen der ungewöhnlichen Spaziergängerin. Sie genießt diese Verlangsamung, macht sie sich zu eigen.

Doch dann kommt Mireille an die Ecke ihrer Straße. Sie muß sich von der alten Dame trennen. Sie hält inne, zögert noch einmal. Hat ihre heimliche Weggefährtin dieses Zögern bemerkt? Auf jeden Fall wendet sie jetzt den Kopf.

Der kurze, kaum wahrnehmbare Blick, den sie Mireille zuwirft, gleicht einem Lächeln und das Lächeln einer Zustimmung. Zustimmung wozu?

Mireille erwidert spontan das Lächeln. Auch sie stimmt zu. Doch wozu?

Dann holt sie tief Luft und biegt um die Ecke.

Das war es.

Mireille geht bedächtig, schön im Takt, mit wohlbemessenem Druck des Fußes auf den Gehweg und sanftem Wiegen des Körpers, den Kopf ein wenig geneigt, als lausche sie.

Mireille wacht gemächlich auf, lange nach dem Klingeln um sieben Uhr, an das sie sich nur undeutlich erinnert. Sie gönnt sich eine zweite Kanne dampfenden Tees, was sie im allgemeinen nur sonntags tut, um sich dem zu widmen, was sie selbst ihre »Waschungen« nennt, eine besondere Übung, die darin besteht, Ordnung in ihre Gedanken zu bringen, ihr Gewissen zu reinigen.

Heute muß natürlich als erstes die Begegnung des Vortags abgestaubt werden. Sie verdient beim geistigen Hausputz besondere Aufmerksamkeit.

Vielleicht sollte sich Mireille Gedanken darüber machen, wie und warum sich etwas geändert hat, seit sie »ja« zu einer alten Dame in Blau gesagt hat.

Doch seltsamerweise hat Mireille keine rechte Lust, über dieses »Ja« lange nachzudenken, als könne sie sich damit begnügen, es verspürt zu haben, als gehöre es schon zu den Dingen, die keiner Diskussion bedürfen und zu einer Selbstverständlichkeit werden.

Nein, wirklich, in diesem Augenblick kreisen ihre Gedanken eher um ihre Tochter Delphine. Es ist Dienstag, der Tag, an dem sie immer im Restaurant »Chez Pierre« in der Rue de Vaugirard zu Abend essen.

Delphine, die vor kurzem ihren einundzwanzigsten Geburtstag gefeiert hat, hat seit mehreren Monaten eine eigene Wohnung, ein winziges Apartment, das sie dem Entgegenkommen ihres Vaters verdankt und in dem die Verehrer jeden Tag zahlreicher werden.

Das wöchentliche Abendessen am Dienstag bietet die Gelegenheit, die Vor- und Nachteile dieser raschen männlichen Zunahme abzuwägen, und Mireilles hausfrauliche Tugenden sind nicht überflüssig, vor allem, weil sie diese mehr wie eine große Schwester und nicht als Mutter einsetzt, eher mit geheimem Einverständnis als mit Zurechtweisung, denn seit Mireille nach ihrer Scheidung ihre Unabhängigkeit wiedergefunden hat und nun ebenso überfordert ist wie ihre Tochter, weiß sie selbst, wie schwierig es ist, in puncto Männer zwischen Vernunft und Unvernunft zu entscheiden.

Heute morgen spürt Mireille jedoch, daß sie mehr tun und über das geheime Einverständnis hinausgehen könnte. Ein ganz neues Gefühl sagt ihr, daß es vielleicht gut wäre, Delphine von etwas weiter her, aus größerem Abstand zu unterstützen, sie gewissermaßen aus anderer Sicht zu sehen. Als Mutter? – Nein, noch besser: darüber hinaus. Dieses »darüber hinaus« hat keinen Namen – noch nicht jedenfalls – aber so muß sie Delphine in Zukunft unbedingt beraten, davon ist sie überzeugt.

Während Mireille diese ungewöhnlichen Gedanken durch den Kopf gehen, sucht sie ohne Eile in ihrem Kleiderschrank nach etwas Passendem zum Anziehen. Der größte Teil ihrer Garderobe ist rot, eine Farbe, die ihr kohlschwarzes, schulterlanges Haar zur Geltung bringt, das seit langem männliche Bewunderung und weiblichen

Neid hervorruft. Mireilles Kleider und Kostüme sind zumeist kurz und tailliert, die Hosen eher hauteng: die leicht aufreizende Kleidung einer zweiundfünfzigjährigen Frau, die weiß, daß sie hübsch ist, und es gern in Erinnerung bringt.

Unschlüssig betrachtet Mireille dieses breite Spektrum zur Schau gestellter Weiblichkeit. Heute möchte sie sich etwas dezenter, etwas unauffälliger kleiden, um in die Stadt zu gehen. Und da entdeckt sie zum Glück, unter einer Schutzhülle aus Leinen, ein perlgraues Kostüm, das, auch wenn der Plisseerock ein wenig altmodisch wirkt, ihren Vorstellungen entspricht. Aus welcher Zeit mag dieses Kleidungsstück, das übrigens aus vorzüglichem Stoff gearbeitet ist, wohl stammen? Das kann sie beim besten Willen nicht sagen, aber es paßt, es paßt wie angegossen ...

Als Mireille, die nicht auf die Uhr geschaut hat, das Haus verläßt, ist es bereits nach elf. Ihre Straße hat sich verändert: der Großteil der Heerscharen ist schon zur Arbeit gegangen. Das Pflaster gehört jetzt den Hausfrauen, den kleinen Kindern und vor allem denen, die man früher die alten Leute nannte und die man heute mit einem Begriff bezeichnet, der ebensogut aus der Paläontologie wie aus der Geologie stammen könnte: das mittlere und späte Seniorenalter.

Heute morgen erkennt Mireille die Straße, die sie seit Jahren entlanggeht, kaum wieder. Gewöhnlich hastet sie in solchem Tempo über den Bürgersteig, daß die Passanten rings um sie herum wie Hobelspäne von ihr abfallen. Gewöhnlich ist ihr Schritt so hektisch, daß die Schaufenster an ihr vorbeirasen wie Fetzen einer Landschaft, die man aus einem schnell fahrenden Zug zu sehen bekommt. Mireille nimmt die Straße ein, erobert sie, zwingt sie, sich zu unterwerfen. Sie hämmert ihre hohen, spitzen Absätze in die Asphaltdecke und stürmt dem Dringlichen entgegen, dem Eiligen, der Eile.

Gewöhnlich, ja, aber das war gestern. Heute ist alles anders. Übrigens, hat es nicht auf der Straße begonnen?

Wenn Mireille heute die alten Leute sieht, die Menschen, die viel Zeit haben, dann nur, weil sie deren Gang angenommen hat, einen Gang, dessen Rhythmus ihr bis in die Seele gedrungen ist, der Gang einer Dame in Blau.

Das Gesicht, das ihr die Straße bietet, entspricht dem Tempo ihrer neuen Gangart. Dieses Bild offenbart sich nur, wenn man es sich gemächlich aneignet, mit einer Langsamkeit, die alles verwandelt, die Form der Häuser, den Geruch der Auslagen, den Lärm der Stimmen.

Diese Gelassenheit nimmt ihr graues Kostüm in sich auf.

Schade, daß die Arbeit in der Agentur Mireille erwartet. Sie wäre gern noch eine Weile in dieser vertrauten Umgebung herumgebummelt, die sich ihr im Schneckentempo erschließt.

Aus der Ferne sieht sie, daß ihr Bus kommt. Soll sie rennen, um ihn zu erwischen? Etwas in ihr bereitet sich schon darauf vor. Doch dann begnügt sie sich damit, dem Fahrer ein kleines Zeichen zu geben, ein Zeichen, das eher Gleichgültigkeit, nicht etwa Aufforderung ausdrückt: Man rennt nicht, wenn die Augen noch über die Trägheit staunen und das Ohr vom Pianissimo entzückt ist.

In der Agentur herrscht Hochbetrieb. Es ist kurz vor zwölf. Das Klappern der Computertasten hört plötzlich auf. Die Stimmen am Telefon halten inne. Irene, Colette, Jean-Pierre und Martine sind vor Verblüffung wie versteinert.

Mireille schlängelt sich mit kleinen, wohlbemessenen Schritten zwischen den Tischen hindurch zu ihrem Schreibtisch und bedenkt jeden mit einem unschuldigen Lächeln. Sie zieht ihre Kostümjacke aus und hängt sie über die Rückenlehne ihres Stuhls.

Colette, ihre Vertraute, ihre Freundin, stürzt auf sie zu:

»Was ist los, Mireille?« fragt sie eher besorgt als neugierig.

»Nichts ... gar nichts«, entgegnet Mireille treuherzig.

»Du bist doch wohl nicht ... krank oder so was?«

»Aber nein. Mir geht es gut. Sehr gut sogar.«

Mireille blickt zu Colette auf, die sich auf die Lippen beißt und deren Gesicht von Sorge gezeichnet ist.

»Jedenfalls ... ich bin da, wenn du mich brauchst ...«

»Ja ... danke, Colette, aber ich schwör dir, daß ...«

Mireille sieht gerührt zu, wie sich ihre Freundin entfernt. Sie muß ihr mal sagen, daß ihre Jeans ein bißchen zu eng sind.

Ein kleiner rosa Zettel fällt auf ihren Schreibtisch. Die Nachricht von Jean-Pierre. Jeden Tag empfängt er sie so, mit einer rosa Huldigung aus ein paar schmeichelnden Zeilen.

Kaum hat sich Mireille hingesetzt, da klingelt ihr Telefon. Es ist der Produzent von einem der Filme, für den sie die Pressearbeit macht. Der Produzent ist erfreut. Begeistert kommentiert er einen Artikel aus der Morgenzeitung und beglückwünscht Mireille, als habe sie ihn geschrieben, was übrigens nicht ganz unzutreffend ist – sie hat dem Redakteur, der es sehr eilig hatte, ein paar wunderschöne Bemerkungen diktiert –, aber auch nicht ganz stimmt, denn sie selbst findet den Film eher albern. Die Besucherzahlen steigen? Schön. Das freut auch Mireille. Die Bilanz der Offensive wird gezogen: Ein Interview des Filmregisseurs in den Acht-Uhr-Nachrichten im Fernsehen, das Foto der Hauptdarstellerin auf der Titelseite von *Paris Match*. Mireille hat gute Arbeit geleistet, das ist wahr. Und dennoch ist ihre Begeisterung mit einem Schlag verflogen, als sie den Hörer aufgelegt hat. Heftiger Widerwille steigt in ihr auf, tiefer Überdruß.

Während sie mechanisch die Botschaft von Jean-Pierre auseinanderfaltet, der sie vermutlich aus den Augenwinkeln beobachtet, denkt sie an ihren Beruf, dem sie sich mit solcher Hingabe widmet, an ihren Elan, wenn sie eine Sache verteidigt, gleich, ob diese es nun verdient oder nicht, an ihren unermüdlichen Eifer, wenn es darum geht, strenge Kritiker zu überzeugen – immer unter Einsatz ihres ganzen Charmes und manchmal auch mit schmeichelnden Worten.

»Presseattaché« ... die Doppeldeutigkeit des Wortes kommt ihr plötzlich zu Bewußtsein. Sie hatte immer geglaubt, Attaché habe etwas mit sich attachieren, mit Anhänglichkeit zu tun, mit gefühlsmäßiger Bindung und wahrer Neigung, doch nun stellt sie fest, daß sie vor allem gefesselt ist, angekettet wie ein Hund, aus freien Stücken eine Gefangene der Presse, und zugleich ausgepreßt wie eine Zitrone, wenn nicht gar erpreßt, und dazu noch der ständige Druck, die ewige Eile, die Dringlichkeit des jeweiligen Moments, durch die die Gegenwart schon Vergangenheit ist und immer zu spät kommt.

So faßt Mireille umgeben von klingelnden Telefonen und flatternden Zeitungsseiten die Arbeit von fünfzehn Jahren zusammen, die sie bisher trotz aller Anspannung ertragen hat, ohne sich je aufzulehnen. Inzwischen hat sie den kleinen rosa Zettel auseinandergefaltet, das unveränderliche Zeichen männlicher Beständigkeit.

Sie liest: »Meine Großmutter hat ein ähnliches graues Kostüm wie Du getragen. Es steht Dir ausgezeichnet ... Ach so, fast hätte ich noch etwas vergessen: Ich habe immer eine Schwäche für meine Großmutter gehabt ... Ich wünsch Dir einen schönen Tag! Dein Dir ergebener Jean-Pierre.«

Mireille liest den Satz mehrmals, nicht etwa, weil sie sich sonderlich für Jean-Pierres Liebeserklärungen interessierte – er kann sie, so sympathisch er auch ist, schon lange nicht mehr überraschen –, sondern wegen eines Wortes, eines Wortes, das sie zum erstenmal in ihrem Leben auf sich bezogen sieht: »Großmutter« ... Bis vor kurzem hätte es sie ohne Zweifel gekränkt, verletzt, hätte wie ein Peitschenhieb in ihren Ohren geklungen. Doch heute genießt sie dieses Wort, als würde dadurch etwas wahr, als definiere es das Undefinierbare, das Unaussprechliche eines Wunsches auf der Suche nach einer Formulierung. Das Wort sagt ihr zu. Es gefällt ihr. Es paßt genau, wie das graue Kostüm, das in der Leinenhülle hing. Ist sie diesem Wort nicht schon seit dem heutigen Morgen, seit dem Augenblick, als sie an Delphine gedacht hat, auf der Spur? Jetzt hat sie es, dank Jean-Pierre, dem braven Jean-Pierre. Dieses »über die Mutter hinaus« ... Warum ist sie nicht sofort darauf gekommen? Es steckt doch alles in diesem Wort. »Großmutter«, die Mutter, die größer ist als eine Mutter, größer in allem, Weisheit, Zärtlichkeit ... Mireille wendet den Kopf dem Urheber der Botschaft zu, dem unschuldigen Propheten. An Jean-Pierres Gesicht, das feuerrot geworden ist, läßt sich ermessen, wie nachhaltig das Lächeln ist, das Mireille ihrem ergebenen Diener schenkt ...

Schon wieder das Telefon. Es ist der Leiter der Agentur, der Mireille bittet, in sein Büro im Nebenraum zu kommen. Ein wahrer Könner im Umgang mit Menschen, dieser Bernard, der Leiter, ein Mann mit fröhlichem Gemüt, der mit seinem Optimismus, seiner Schmeichelei alles und noch mehr bei seinen Mitarbeitern erreicht.

Er bemerkt nicht Mireilles ungewöhnliche Aufmachung. Ihre Verspätung dagegen ist ihm nicht entgangen. Es käme ihm nicht in den Sinn, seine Mitarbeiter zu überwachen, aber immerhin. Und schließlich ist Mireille die Seele der Agentur.

»Ich hoffe, es gibt nichts, was Sie nicht ruhig schlafen läßt, Mireille?« fragt er und schiebt die Brille auf die Stirnglatze. Mireille bewundert nebenbei den subtilen Gebrauch der Verneinung. »Nichts, mein lieber Bernard. Wissen Sie, in Zukunft will ich mir . . . wie soll ich's sagen . . . mehr Zeit lassen. Ja, das ist es: mehr Zeit lassen.«

Ihr Ton ist nicht aggressiv und auch nicht unverschämt. Er ist herablassend. Das ist noch schlimmer. In Wirklichkeit wundert sie sich selbst darüber, daß sie sich mit solcher Selbstsicherheit, solchem Hochmut ausdrückt, wie jemand, der schon soviel erlebt hat, daß er die Gegenwart nur noch mit einer gewissen Gleichgültigkeit betrachten kann.

»Im übrigen«, fährt sie ruhig fort, »habe ich vor, morgen nicht in die Agentur zu kommen. Ich komme am Donnerstag, nachmittags . . . oder vielleicht am Freitag . . . mal sehen.«

Mit diesen Worten gleitet Mireille aus Bernards Büro und schließt leise die Tür, denn ebensowenig, wie man hinter einem Bus herrennt, knallt man bei seinem Chef die Tür zu, auch wenn man den angenehmen, unwiderruflichen Eindruck hat, ihm ziemlich überlegen zu sein.

Mireille steht im Badezimmer vor dem Glasregal voller Flacons und Töpfchen, dem ganzen Arsenal faltenbannender Cremes, und betrachtet sich nachdenklich im Spiegel.

Die tägliche Inspektion, die dem Strammstehen vor der Jugend folgt, findet heute morgen nicht statt, auch nicht der Gruß an die Flagge der Schönheit. Der brave Soldat, der in ihr steckt und immer gesteckt hat, hat plötzlich Lust zu desertieren.

Diesmal betrachtet sie sich nicht mehr mit der Absicht, auf Hochglanz gebracht und mit schwarz getuschten und gebürsteten Wimpern zum Appell anzutreten, sondern aus einem anderen Grund, der ihr jedoch noch nicht ganz bewußt ist.

Wenn sich Mireille heute morgen ganz besonders für die kleinen schicksalhaften Zeichen, die verdächtigen Stempel der Zeit interessiert, dann mit anderen Augen als zuvor. Diesmal tut sie es mit gewissem Genuß, einem Genuß besonderer Art. Diesmal bereitet es ihr keine Sorgen, im Gegenteil, es beruhigt sie.

Sie erforscht weniger das Gegenwärtige als das Künftige. Mit einem großen Satz über das Heute springt Mireille munter in das Morgen. Sie sucht sich dort, wo sie noch nicht ist, aber zwangsläufig sein wird. Sie übt sich im Vorwegnehmen, im Vorgreifen, und noch dazu voller Eifer.

Denn das, was sie in Wirklichkeit so nachdenklich vor dem Badezimmerspiegel unter die Lupe nimmt, ist die Zukunft, eine Zukunft, die sie sich insgeheim voller Neugier und Ungeduld herbeiwünscht ...

Anschließend ändert sich das Aussehen des Raums. Die Flacons und Töpfchen werden in den Schrank geräumt. Nur der Puder und eine Flasche Kölnisch Wasser finden Gnade und bleiben auf dem Regal. Anschließend bemüht sich Mireille, ihr dichtes Haar zu bezwingen. Sie rollt es ein, dreht es im Nacken zu einem Knoten zusammen, steckt es mit Haarnadeln fest. Und dann greift sie, von ihrer Garderobe enttäuscht, wieder auf das graue Kostüm zurück, das sie schon seit mehreren Tagen mit einer weißen oder schwarzen Bluse trägt, und dazu flache Schuhe ...

Auch Delphine fand, daß ihrer Mutter das graue Kostüm eigentlich gut stand, obwohl sie sich zunächst ein wenig überrascht zeigte, als sie sich mit Mireille im Restaurant traf. Ein recht anregender Abend übrigens, in dessen Verlauf Mireille ihrer Tochter mit einer geschickten Mischung aus Bestimmtheit und Nachsicht Ratschläge erteilt hatte, die ganz einfach auf dem gesunden Menschenverstand beruhten, was Delphine anscheinend noch stärker verblüfft hatte als das graue Kostüm. Nach dem Essen fragte das Mädchen mit derselben besorgten Miene wie Colette im Büro, ob alles in Ordnung sei, und Mireille antwortete ihr mit derselben unschuldigen Miene, aber ja doch.

Mireille ist nicht in die Agentur zurückgekehrt. Mireille hat auch nicht auf die immer ängstlicheren Nachrichten reagiert, die ihr Colette auf dem Anrufbeantworter hinterließ, und auch nicht auf all die anderen Anrufe, zumeist von Männern, unter denen sich besonders Jacques durch seine Hartnäckigkeit auszeichnete, Jacques, der anerkannte Liebhaber, dem sie den Beinamen »der Fatale« gegeben hat, sowohl auf Grund seiner Neigung für die Philosophie als auch wegen seiner unverbesserlichen Art, immer im falschen Augenblick aufzutauchen, als bemühte er sich unentwegt, wie das Schicksal, wie die Fatalität über sie hereinzubrechen; ein Fehler, der allerdings weitgehend durch die bemerkenswerte Bereitschaft aufgewogen wurde, sich an jedem Ort und in jeder Lage den Vergnügungen des Eros zu widmen.

Doch im Augenblick hat Mireille etwas Besseres vor, als diesem Druck der Freundschaft und der Liebe nachzugeben.

Seit sie im neuen Rhythmus ihrer Gedanken und ihrer Schritte schlendert, stets bemüht, das geruhsame Tempo zu halten, mit sanftem Wiegen des Körpers, schön im Takt, mit wohlbemessenem Druck des Fußes, seit sie keinen Zwang, keine Pflichten mehr kennt, entdeckt sie in ihrem eigenen Viertel wahre Wunder. Sie hat dort entzückende Hinterhöfe, unglaubliche Häuser aufgespürt.

Gestern ist sie bei ihrem Bummel in der Nähe ihres Hauses auf einen winzigen Park gestoßen, von dessen Existenz sie bisher nichts gewußt hatte.

Diesen Park will sie jetzt erkunden. Die kleine eiserne Pforte am Eingang quietscht beim Öffnen und beim Schließen. Dieses Quietschen erinnert sie an die Gittertür, die in dem Haus am Meer, wo sie ihre Kindheit verbracht hatte, den Garten von der Düne trennte.

Der Park gleicht einer naiven Zeichnung. Eine einzige Bank unter einem einzigen Baum. Ein Sandkasten, um den drei Stühle stehen. Ein Rechteck aus saftig grünem Gras, das wie ein Teppich auf dem graurosa Kies liegt. Im Sandkasten sitzt ein kleines Mädchen in einem kelchartigen weißen Kleid, einem Krokus gleich, und spielt mit Bauklötzen neben einer ziemlich dikken älteren Frau, die in eine Zeitschrift vertieft ist. Ein ernster alter Herr, die Hände auf der Strickweste gefaltet, scheint in die Betrachtung des Krokus versunken zu sein, während eine etwa gleichaltrige Dame mit einem rötlichen Kater spricht, den sie an der Leine hält; das Tier hat sich vor ihren Füßen zusammengerollt.

Das Quietschen der Pforte hat diese unwandelbare Szene nicht gestört.

Unauffällig setzt sich Mireille auf das freie Ende der Bank.

Nun sieht auch sie dem Spiel des Krokuskindes im weißen Kleid zu und wie im Sand die Klötze sorgfältig ineinandergefügt werden.

Der rötliche Kater ist eingeschlafen, doch die Dame fährt mit ihrer Litanei fort. Sie erzählt Geschichten über frischen Fisch und warme Milch, ein Wiegenlied für Katzen.

Die Seiten der Zeitschrift werden umgeblättert. Die Stunden verstreichen.

Man braucht sich nur noch in die Kulisse des Parks einzufügen, mit ihm zu verschmelzen, seinen Platz zu finden, ohne zu stören, sich der Trägheit zu überlassen, dem wohltuenden Gefühl der Leere, um nacheinander zu rötlichem Kater, umgeblätterter Seite, Bauklotz, hellgelbem Sand, Knopf der Strickweste, zitterndem rosa Fett am Arm der dicken Frau zu werden.

Mit einem Lächeln im Herzen, dem Lächeln einer Dame in Blau, macht Mireille mühelos den ersten Schritt ins Nichtstun.

Ohne es zu merken, hat sich Mireille nach und nach angewöhnt, ihre Wohnung anders zu benutzen. Sie lebt immer mehr in der Küche. Das Wohnzimmer, dessen Eleganz und guter Geschmack sie mit Unbehagen erfüllt, meidet sie nun ganz. Selbst die Hängematte aus Bahia, in der sie sich behaglich schaukelte, um Musik zu hören, kommt ihr etwas lächerlich vor. Im übrigen betritt sie das Wohnzimmer nur noch, um die Grünpflanzen vor der großen Balkontür zum Hof zu gießen, auf Zehenspitzen gehend, als sei sie bei jemand anderem, oder um den Anrufbeantworter abzuhören, den sie nicht abzustellen gewagt hat, weil Delphine für drei Monate zu ihrem Vater nach Madrid gefahren ist.

Wenn Mireille von ihren Spaziergängen zurückkommt, legt sie ihre Handtasche oben auf den Kühlschrank und stellt ihre Schuhe in einer Plastiktüte in das unterste Fach des Gemüseregals, und dann sitzt sie stundenlang in Morgenrock und Pantoffeln am Küchentisch, auf dem sich Papiere, Terminkalender, Hefte, Bücher, die sie gerade liest, und eine ganze Sammlung von Bleistiften häufen, die sie in einem Bierkrug aufbewahrt.

Sie liest gern im Duft der Gemüsesuppe oder in der feuchten Wärme eines Hammelragouts, das auf kleiner Flamme schmort und dessen dampfender Wohlgeruch sich zwischen den Buchseiten festsetzt.

Wenn das Telefon klingelt, öffnet sie die Tür zum Wohnzimmer und bemüht sich, außer wenn es Delphine ist, den Namen des Störenfrieds in einem kleinen Heft zu notieren, ohne jedoch wirklich auf die Nachricht zu achten.

Manchmal setzt sie sich hinter die Cretonnegardine an der Fensterecke auf den Hocker und beobachtet die Straße zwei Stockwerke tiefer.

Das regelmäßige Leben der Anwohner, das sie nun allmählich kennt, fasziniert sie. Da sind zum einen Schulbeginn und Schulschluß, wenn die schrillen Schwalbenschreie der Kinder die Luft durchdringen, und dann der Zeitpunkt, wenn die Rolläden von Geschäften oder Garagen mit brutalem, aggressivem Quietschen herauf- oder herabgelassen werden, und gegen Ende des Tages das Hupkonzert, wie ein Aufschrei, eine düstere Klage von Menschen, deren Geduld zu Ende ist.

All dieses Treiben unter ihr erfüllt Mireille mit einer Mischung aus Belustigung und Mitleid. Die Stirn an die Scheibe gedrückt, genießt sie oft das Glück, dort zu sein, wo sie ist, während der tickende Wecker in der Küche nur noch die Aufgabe hat, zu ticken.

Eines Tages, als sie, auf die Balustrade des Fensters gelehnt, zusieht, wie die Kinder aus der Schule kommen, und angesichts all dieser kleinen gierigen, mit Schokolade oder Marmelade verschmierten Gesichter in Rührung gerät, bemerkt sie im Haus gegenüber, im gleichen Stockwerk, die Silhouette eines Mannes, der anscheinend dasselbe Schauspiel verfolgt. Überrascht über die ernste Miene des Gesichts blickt sie aufmerksamer hin und erkennt den alten Mann aus dem Park. Diese Entdeckung geht ihr, sie weiß nicht warum, zu Herzen. Es ist allerdings das erstemal seit Wochen, daß sie etwas mit jemandem teilt und noch dazu etwas Besonderes, nämlich den Augenblick, wenn die Kinder nachmittags ihren Kuchen essen, was niemanden interessiert außer die Kinder selbst, jene Belohnung, die die Zeit an etwas Süßem hängen läßt, ein völlig belangloser Augenblick, zumindest, was den Lauf der Welt angeht.

Auch der ernste alte Herr hat Mireille gesehen. Hat er sie erkannt? Vermutlich, denn er hebt ganz langsam die Hand, als wolle er diesen Moment verlängern, ihm etwas Feierliches verleihen, dann verschwindet er.

An jenem Abend geht Mireille äußerst beschwingt zu Bett. Von nun an ist sie nicht mehr die einzige, die sich an der Nutzlosigkeit erfreut. Auf der anderen Straßenseite, an einem Fenster, das dem ihren gleicht, betrachtet jemand mit ebensolcher Ruhe das Schauspiel der Welt: ein anderer Zeuge, ein anderer Mensch, der wie sie nur Statist ist.

Sie sieht wieder den Park vor sich, der ihr die erste Lektion im Nichtstun und zugleich in wohliger Bescheidenheit erteilt hat, diesen Park, der ebensogut mit ihrer wie auch ohne ihre Anwesenheit existiert, denn ob sie auf der Parkbank sitzt oder nicht, ändert nichts am Weiß des Krokuskindes noch am Grün des Rasenstücks auf dem graurosa Kies.

Mireille sagt sich, daß die Dame mit dem rötlichen Kater, der ernste alte Herr und jetzt auch sie Menschen vom selben Schlag sind. Alle drei sind sie ersetzlich. Mireille ist ersetzlich ... Das Wort erheitert sie: Es widerspricht genau dem, was Colette ihr am Telefon gesagt hat, als Mireille im Büro anrief, um anzukünden, daß sie nicht wiederkäme. Entmutigt von der Dickköpfigkeit ihrer Freundin, hat Colette, als ihr nichts anderes mehr einfiel, fast schreiend zu ihr gesagt: »Aber hör mal, Mireille, du mußt wiederkommen! Du weißt doch genau, daß du für die Agentur unersetzlich bist!«

Vor dem Schlafengehen, umgeben vom Duft des Eisenkrauttees, den Mireille gleich mit einem guten Löffel Akazienhonig im Bett trinken wird, während sie noch Radio hört, muß sie gerührt an Colette denken, ihre beste Freundin, die dort zurückgeblieben ist, dort auf der anderen Seite eines Grabens, den Mireille so mühelos überquert hat, daß man es kaum als Verdienst betrachten kann. Sie muß ihr unbedingt schreiben …

Hier ist die Nacht schwerelos. Hier gleitet man mit sanftem Wiegen des Körpers in den Schlaf.

Es war fatal. Wieder einmal ist Jacques im ungünstigsten Augenblick hereingeplatzt, zwischen Schulschluß und Hupkonzert, genau zu dem Zeitpunkt, da in der Küche die abendliche Suppe das Fenster allmählich mit einem leichten duftenden Beschlag überzieht, in dem äußerst heiklen Moment, da Mireille sich bemüht, die Halme eines besonders zarten Grases, das man anscheinend nur in Südamerika, bei den Indianern, findet, in ein Schulheft abzuzeichnen.

Das aufdringliche Klingeln zu ungelegener Stunde läßt keinen Zweifel zu: Es ist tatsächlich Jacques, der treuherzig und zu allem bereit mit einer Flasche Champagner in der Hand auf dem Treppenabsatz steht, fest entschlossen, hereinzukommen, das sieht man, trotz des nicht sehr freundlichen Blicks jener, der der Champagner zugedacht ist.

»Man kann nicht gerade behaupten, daß du dich aufs Telefon stürzt!« sagt Jacques und stößt mit einem Ruck die Wohnzimmertür auf. Dann ein leichtes Zögern: Das Halbdunkel des Raums, dessen Läden geschlossen sind, und vor allem der muffige Geruch überraschen vermutlich den munteren Eindringling. »Was ist denn mit dir los?« fragt er, während er die Deckenlampe anknipst und die Dame des Hauses aufmerksam mustert.

Diesmal gerät Jacques ins Schwanken. Sein philosophisch geschulter Scharfsinn und seine Fähigkeit, rasch Zusammenhänge zu erkennen, bewirken wohl, daß ihm alles auf einen Schlag bewußt wird: der Morgenrock, die Pantoffeln, die Baumwollstrümpfe, der straffe Knoten und vor allem etwas Undefinierbares an Mireille, das besagt, daß sie eigentlich gar nicht mehr Mireille ist.

Mireille seufzt, geht völlig gelassen und, wegen der Hausschuhe, ein wenig schlurfend durch den Raum, öffnet die Läden, läßt das Fenster einen Spalt offen und knipst die Deckenlampe aus, ehe sie sich mit bewußt verstimmter Miene auf das Sofa setzt.

Wortlos läßt sich Jacques in den Ledersessel fallen, dem Sofa gegenüber. Er klammert sich geradezu an die Flasche Champagner.

Beide sehen sich eine ganze Weile an: Er, der verstehen will, und sie, die nichts sagen will.

Der Duft der Gemüsesuppe durchzieht das Schweigen. Mireille kann sich gut vorstellen, daß es für Jacques nicht so einfach ist, daher sagt sie sehr liebenswürdig, sehr wohlwollend, mit jenem Hauch von Herablassung, den sie sich angewöhnt hat: »Frag mich bitte nicht, ob ich krank bin oder so was ähnliches, ja?«

Jacques stellt die Flasche Champagner auf den niedrigen Tisch aus lackiertem Holz und steht wortlos auf, um zwei Sektgläser zu holen.

Er will offensichtlich nichts falsch machen, versucht, sich wieder zu fassen, sich von seiner besten Seite zu zeigen. Der Korken macht ein seltsames Geräusch, röchelt, statt zu knallen.

Mireille betrachtet erst die goldgelbe Flüssigkeit, die in den Kristallgläsern perlt, dann Jacques, der unter ihren Liebhabern immerhin an erster Stelle gestanden hat, Jacques mit dem sympathischen und plötzlich so betretenen Gesicht eines großen Jungen, der, wie sie genau weiß, am liebsten halt schreien, in Lachen ausbrechen und Mireille aufs Sofa legen würde, um ein für allemal diesem bösen Spiel ein Ende zu machen.

»Wie geht es dir denn, mein lieber Jacques?« fragt sie, erstaunlich weich gestimmt vom ersten Schluck des kühlen Champagners, der ihr bewußt macht, daß sie schon seit langem keinen Alkohol mehr getrunken hat.

Ermutigt durch diese besitzergreifende Anrede setzt sich Jacques neben Mireille aufs Sofa.

»Du fehlst mir«, erwidert er und legt ihr demonstrativ die Hand auf die aneinandergepreßten Knie. Mireille betrachtet ihre Pantoffeln, ihre Baumwollstrümpfe. Sie kann ihm ja schlecht sagen, daß er ihr nicht fehlt.

»Na, nun laß mal nicht den Kopf hängen«, sagt sie aufrichtig betrübt. Sie zieht Jacques an sich. Er legt den Kopf auf ihren Morgenrock aus Pyrenäenwolle und läßt sich mit einer Fügsamkeit das Haar streicheln, die Mireille kaum überrascht. Sie trinkt noch einen Schluck Champagner, ohne mit dem Streicheln aufzuhören. Was denkt er wohl, der arme Jacques, er, der so daran gewöhnt ist, sie begehrenswert und voller Begehren zu erleben? Ihr selbst dagegen fällt es schwer, sich all diese Tollheiten vorzustellen, die sie auf diesem Sofa und in der Hängematte aus Bahia vollbracht haben.

Die Bilder ihrer erotischen Heldentaten, die ihr vor Augen treten, nehmen in ihrer Vorstellung plötzlich die verblichene bräunliche Färbung alter Fotografien aus einem heimlich angelegten Album an. Sie verlieren sich schon in der Erinnerung an die denkwürdigen Taten eines ausschweifenden Lebens. War das sie, waren das sie gewesen?

Ist Mireille etwa melancholisch? Gewiß nicht. Daß es all diese Liebestollheiten gegeben hat, gefällt ihr – sie ist sogar ein wenig stolz darauf –, doch der Gedanke, daß sie nun vorbei sind, endlich vorbei, gefällt ihr noch besser. Aber auch das kann sie Jacques nicht sagen.

Während Mireille die Finger durch den dichten Haarschopf ihres einstigen Liebhabers gleiten läßt, dessen Kopf auf ihren Knien ruht, schließt sie voller Erleichterung darüber, daß sie ihn weder begehrt noch sich von ihm angezogen fühlt, die Augen, als genüge diese zärtliche Geste, um sie zu befriedigen. Jacques dagegen ist besiegt, das spürt sie, die ungeheure, unbesiegbare Macht all dieser unvorhersehbaren Zärtlichkeit zwang ihn auf die Schulter.

Schließlich unterbricht Mireille selbst diese Szene trauten Glücks, die bestimmt nicht Eingang in die Annalen libertinistischer Schriften finden wird: »Meine Suppe!« ruft sie. Und schon entschlüpft sie Jacques, nimmt seinen Kopf wie einen Ball und legt ihn unsanft auf den rauhen Stoff des Sofas. Salome dürfte mit Johannes dem Täufer ähnlich umgegangen sein, das ist ihr durchaus klar, doch eine Suppe, die anbrennt, gehört zu den dringenden Fällen ...

Mireille räumt die Zeichnungen von den Gräsern und die Buntstifte weg und dreht das Rührsieb. »Du kannst den Champagner austrinken, hörst du?« ruft sie Jacques zu, der vermutlich seinen Kopf und seine fünf Sinne wiedergefunden hat, denn er steht da, an die Küchentür gelehnt, und betrachtet Mireille stumm.

Sie wendet sich ihm zu. »Willst du einen Teller Suppe?« fragt sie ihn ein wenig widerstrebend, denn um diese Uhrzeit, zu der sie sonst immer erschöpft aus der Agentur zurückgekehrt ist und sich auf ein mondänes Diner vorbereitet hat, bei dem es hieß, brillant zu sein und zu gefallen, gibt es für sie nichts Schöneres, als allein, möglichst im Schlafrock, ihre Suppe zu essen und im Zeitlupentempo die lehrreiche Folge der vollkommen nutzlosen und dennoch sehr ereignisreichen Begebenheiten eines ganzen Tags der Leere im Geist an sich vorüberziehen zu lassen.

Jacques' Gesicht spricht für sich: Er ist erschüttert.

»Nein, danke«, erwidert er, und Mireille, die eigentlich gar nicht mehr Mireille ist, aber dennoch nichts von ihrem Scharfsinn verloren hat, hört aus dem »Danke« heraus, was man heraushören muß: »Wenn das alles ist, was du mir anzubieten hast, mein armes Herz, dann lassen wir's, sei mir nicht böse, aber trotzdem könntest du mir mal erklären, was mit dir los ist. Du machst mir richtig Sorgen. Und welche Rolle hast du mir bei all dem zugedacht?«

Sie passiert weiter ihr Gemüse. Das Rührsieb knirscht. Alles knirscht.

Da entschließt sich Mireille: Sie geht auf Jacques zu, ganz nah an ihn heran, berührt ihn fast. Vielleicht glaubt er sogar, sie wolle ihn küssen ...

»Siehst du dieses graue Haar neben meinem Ohr?«

Jacques entgegnet nichts, starr vor Staunen, fast erschrocken.

»Weißt du«, fährt Mireille fort, »es gefällt mir, ich liebe es. Das ist alles, Jacques!«

Als Jacques fort ist, schließt Mireille wieder die Fensterläden im Wohnzimmer und spült die beiden Sektgläser. Sie deckt den Tisch, um ihre Suppe zu essen. Die Suppe ist nicht so gut wie gestern, sie schmeckt ein wenig angebrannt.

Inzwischen beherrscht Mireille auch die Kunst, sich unsichtbar zu machen. Es ist sogar zu ihrer Lieblingsbeschäftigung geworden. Dank der grauen Farbe des Kostüms, die ihr erlaubt, in den Hauswänden zu verschwinden, mit dem Bürgersteig zu verschmelzen, dank des eigentümlichen Gangs, den sie sich angewöhnt hat, Schritt für Schritt, mit wohlbemessenem Druck des Fußes auf den Gehweg und sanftem Wiegen des Körpers, kann sie es sich leisten, sich in aller Ruhe unter ihre Mitmenschen zu mischen, so als wäre sie durchsichtig.

Manchmal streifen sie die Leute. Dann atmet sie verstohlen deren Geruch ein, der je nach Tageszeit, je nachdem, ob sie besorgt oder entspannt sind, unterschiedlich ist. Sie horcht auch auf das, was sie sagen, und dringt durch winzige Lücken in die innersten Sphären anderer Leben ein. Versteckt in einer Toreinfahrt, so wie man sich ins Gras setzt, um das Sirren Tausender kleiner verborgener Wesen zu spüren, die es vibrieren lassen, spitzt sie manchmal die Ohren, sucht mit den Augen ihre Umgebung ab und wird zur unsichtbaren Zeugin zahlloser Abenteuer, die ihr bisher entgangen sind. All diese Begebenheiten, diese unbedeutenden kleinen Geschichten entzücken sie. Sie werden zum täglichen Brot, zur anregenden Musik ihres Daseins. Abends kann sie stundenlang über das, was sie gesehen oder gehört hat, nachsinnen und Dinge hinzudichten. Die hier und dort aufgeschnappten Wortfetzen und Eindrücke verwandeln sich in Melodien.

Mit dem, was sie zum Beispiel gestern abend gehört hat, könnte sie eine Oper schreiben.

Sie war mit ihrem Korb voller Gemüse auf dem Weg nach Hause, ohne sich von den Hauswänden abzuheben, als ein nicht eben diskretes junges Paar neben ihr stehenblieb. Die beiden stritten sich gerade.

Er, ein stämmiger Kerl, schwitzend vor Wut, sagte immer wieder: »Das hättest du nicht tun sollen! Das hättest du nie tun sollen!«

Sie, ein schmächtiges Geschöpf mit der Opfermiene, die manche Frauen aufsetzen, wenn sie daran denken, daß sie Frauen sind, stöhnte: »Aber es ging doch nicht anders, Michel! Ich hatte keine andere Wahl!«

Die beiden standen sich auf dem Bürgersteig gegenüber. Mireille lehnte zwischen ihnen an der Wand. Sie hätte die beiden berühren können. Sie hätte die Hand auf den dicken, feuchten Arm des Mannes legen können, um ihn zu beruhigen, oder auf die knochige Schulter der Frau, um ihr beizustehen.

Mireille erinnert sich an die furchtbare Stille, und wie lange diese gedauert hat. Nicht zu übersehen und dennoch unsichtbar für die beiden, stand sie mit zugeschnürter Kehle da und wartete darauf, daß die Auseinandersetzung ein Ende fände.

Mireille sah, wie sich die flache Brust der Frau von einem wogenden Seufzer hob, der in die herzzerreißenden Worte mündete: »Aber Michel, das war doch für dich! Das hab ich doch für dich getan!«

Mireille war so angespannt, daß sie nur mit Mühe einen Schrei unterdrücken konnte. Nach einer weiteren Stille hob Michel seinen dicken Arm, als wolle er die Frau schlagen, doch wider Erwarten drückte er sie heftig an sich.

Mireille erinnert sich noch an den leidenschaftlichen, obszönen Kuß aus solcher Nähe, daß sie das seltsame saugende Geräusch zweier sich vereinender Münder hörte. Dann entfernten sich der Mann und die Frau eng umschlungen, taumelnd, als seien sie betrunken. Mireille dagegen mußte mit weichen Knien ihren Gemüsekorb abstellen und suchte an der Wand nach Halt …

Während Mireille an diese Begegnung zurückdenkt, die ihr genügend Material bietet, um unzählige Deutungsversuche anzustellen, da ihr der eigentliche Schlüssel zu dem Drama fehlt, nämlich »das, was diese Frau bloß getan haben mochte und nicht hätte tun sollen«, stellt sie sich die Frage, ob nicht insgeheim das alles für sie bestimmt war, wie zur Belohnung für ihr besonderes Talent, da zu sein, ohne da zu sein, ein Talent, das ihr auch ungeahnte Sinnesfreuden bereitet.

Sehen, ohne gesehen zu werden ... ist das nicht ein ausgesprochener Genuß? Beherrscht sie nicht die Straße und die Stadt unvergleichlich besser, seit sie sich damit begnügt, deren Treiben mit geradezu seliger Unauffälligkeit zuzusehen?

Das trifft übrigens vor allem auf ihr eigenes Viertel zu, das sie im Griff zu haben glaubte, weil sie dort bisher voller Eroberungsdrang aufgetreten war. Hübsch, exzentrisch und äußerst redselig mit Nachbarn und Kaufleuten, hatte sie ihr Viertel zu ihrem persönlichen Besitz gemacht, allerdings nur um den Preis ständiger Anstrengungen, die, wie sie plötzlich merkt, ermüdender waren, als sie gedacht hatte.

Jetzt, da sie nach nichts mehr strebt, jetzt, da sie sich wie ein Schatten stumm unter denselben Nachbarn bewegt, die sie nicht ansehen, ist sie so frei, daß sie sich unbesiegbar fühlt. Die Geschäftsleute rufen ihr nichts mehr zu, wenn sie an deren Läden vorbeigeht. Kurz gesagt, sie führt ihr eigenes Leben, incognito und wunderbar beschaulich.

Eben hat sie allerdings ihr Gemüsehändler eine ganze Weile aufmerksam gemustert, als er ihr das Wechselgeld herausgab. Sie hat gemerkt, daß er im Begriff war, ihr zu sagen, sie habe große Ähnlichkeit mit ... oder sie zu fragen, ob sie nicht zufällig verwandt sei mit einer gewissen ... Doch Mireille hat sich in Luft aufgelöst und den Gemüsehändler mit offenem Mund und derart fassungslos stehen lassen, daß sie jetzt noch darüber lacht, während sie die Möhren am Fenster schält, für den Fall, daß der ernste alte Herr an seinem Fenster auftauchen sollte.

Denn seit dem Nachmittag, an dem sie gemeinsam zugesehen haben, wie die Kinder ihren Kuchen aßen, hält sie nach ihm Ausschau. Sie würde sich gern wieder gemeinsam mit ihm dem Beobachten widmen, ins Nichtstun versenken, wie im Park vor dem Sandkasten. Sie würde gern von dem ernsten alten Herrn lernen, mit welchen Augen er die Welt betrachtet.

Mireille schält die letzte Möhre. Hinter dem Fenster auf der gegenüberliegenden Seite hat sich nichts geregt, aber das Licht ist angegangen. Er ist da. Es ist ein gutes Zeichen, findet sie, daß das Licht angegangen ist, und noch dazu in diesem Augenblick.

Das Telefon klingelt. Unwillig nimmt Mireille

das kleine Notizheft und öffnet die Tür zum Wohnzimmer. Es ist Jacques. Das hatte sie geahnt.

Sie schreibt »Jacques« in das Heft und schließt die Tür, hinter der sich eine Stimme bemüht, sie von etwas zu überzeugen.

Als Mireille in die Küche zurückkehrt, lacht sie glucksend wie ein kleines Mädchen. Keine Spur von Bosheit ist in diesem Lachen eines entzückten Kindes. Sie lacht, weil ihr gerade klar geworden ist, daß Jacques einen Nebenbuhler hat: einen ernsten alten Herrn, der das Leben zu betrachten weiß, einfach, weil er alt ist.

Mireille beugt sich zum Spiegel vor. Das graue Haar über ihrem Ohr ist gewachsen. Man muß allerdings dazu sagen, daß sie es verhätschelt. Sie redet mit ihm, umschmeichelt es, so wie sie auch die Grünpflanzen im Wohnzimmer umschmeichelt und sich bemüht, sie in diesem endgültig aufgegebenen Raum der Wohnung am Leben zu erhalten.

Auch wenn inzwischen weitere graue Haare hinzugekommen sind, nicht nur an den Schläfen, sondern auch mitten im schwarzen Haupthaar, das in Zukunft auf die gewohnte Tönung verzichten muß, bringt sie diesem grauen Haar besondere Zärtlichkeit entgegen.

Zärtlichkeit empfindet sie im übrigen mehr

als genug. Für alle Anzeichen des Welkens in ihrem Gesicht und an ihrem Körper: jene winzigen Fältelungen der Haut, die sie morgens entdeckt, mit den Fingerspitzen streichelt und mit dem Blick ermutigt. Für all die kleinen braunen Flekken, die wie Schattenblumen verstreut sind, die erstaunlichen Stickereien der Zeit auf dem hellen Stoff des Fleisches, die sie abends zählt, nachdem sie ihre Suppe gegessen und beide Hände flach auf den Küchentisch gelegt hat.

Mireille lächelt dem Spiegel zu, der ihr so trefflich die Geschichte erzählt, die sie hören will. Sie lächelt der Zukunft zu, die schon da ist.

Ihr Haar hat die neue Zurückhaltung schnell begriffen. Mit der Fügsamkeit eines Hundes, der dem Halsband seines Herrn den Kopf entgegenstreckt, rollt es sich jetzt schon von selbst unter den Haarnadeln zu einem Knoten im Nacken zusammen.

Heute ist die schwarze Bluse dran.

Mireille nimmt ihre Tasche vom Kühlschrank und die Schuhe aus dem Gemüseregal. Sie ist sehr zufrieden mit den Netzhandschuhen, die sie im obersten Fach des Kleiderschranks im Schlafzimmer aufgestöbert hat. Sie nimmt sich vor, nicht mehr ohne Handschuhe aus dem Haus zu gehen. Sie hätte nichts dagegen, einen Hut zu kaufen, der zu dem grauen Kostüm paßt. Und außerdem hat sie in einem Kurzwarenladen, in dem Strümpfe, Unterkleidung und Dekorationsstoffe angeboten werden, ein dunkelblaues Kleid aus Seidenkrepp entdeckt, das ihr bereits zu gehören scheint.

Der Briefkasten ist fast leer. Ein Brief immerhin. Mireille erkennt Colettes Handschrift.

Diesen Brief wird sie lesen. All die anderen stapeln sich im Wohnzimmer neben dem Anrufbeantworter, für alle Fälle ...

Die kleine eiserne Pforte gewährt ihr ein Quietschen und die Düne und das Meer. Auf den Stühlen im Park sitzen nur zwei kleine Mädchen mit ihren Schultaschen.

Der Sand im Sandkasten ist geharkt.

Mireille läßt sich auf der Bankmitte nieder, den Mädchen gegenüber, die sich merkwürdig schweigsam anstarren. Die beiden sitzen regungslos, mit gesenkten Köpfen da, als litten sie unter dem Schock einer furchtbaren Nachricht, als habe sie etwas erschüttert, am Boden zerstört.

Mireille mischt sich schon wieder ein, dringt mitten hinein in dieses Schweigen, dieses für so junge Mädchen viel zu erdrückende Schweigen. Sie nimmt sich ihren Teil davon, als könne sie allein durch ihre Anwesenheit, ohne den Grund zu kennen, ohne den Grund zu verstehen, dessen Last verringern. Die mit Abziehbildern übersäten Schultaschen passen nicht zu der rätselhaften Qual, die diese beiden Köpfe mit den noch kindlichen Locken auf ihre zarten, weißen Hälse sinken läßt.

Quietschen der eisernen Pforte. Es kommt jemand: eine ältere Frau mit einem Tier an der Leine. Mireille erkennt die Dame mit dem rötlichen Kater.

Immer noch ohne ein Wort zu sagen, stehen die beiden Mädchen auf und schütteln sich heftig, fast gewaltsam, als wollten sie sich eine ungerechte, unverdiente Bürde von der Seele wälzen, stürmen dann auf den Ausgang zu und springen mit wildem Geschrei über das eiserne Gitter.

Das erinnert Mireille ein wenig an Kriegsberichte über Soldaten, die schreiend aus dem Schützengraben springen und mit Todesverachtung direkt auf das feindliche Feuer zurennen.

Plötzlich überkommt sie ein unwiderstehliches Mitgefühl, erst mit den kleinen Mädchen und dann mit den Menschen allgemein, zumindest mit jenen, die immer etwas zwingt, zu kämpfen. Denn Mireille kämpft nicht mehr, für nichts und niemanden, und erst recht nicht für sich selbst. Mireille hat die Waffen abgelegt, alle Waffen, hat sie genau in dem Augenblick abgelegt, als sie den Sturmschritt aufgegeben und den Rhythmus gewechselt hat, mit wohlbemessenem Druck und sanftem Wiegen den Fuß bedächtig auf den Gehweg setzte ... Dieses Wiegen regelt ihr Leben. Es ist der einzige Maßstab, den sie gelten läßt, denn sie stellt keine Ansprüche, verabscheut die Gewalt, kurz gesagt, sie ist natürlich. Dieses heimliche Metronom begleitet sie beim Müßiggang, der ihre Tage und Nächte erfüllt.

Der Anblick dieser wutentbrannten kleinen Mädchen, die so wild sind wie ihr Geschrei und trotz ihres stummen Schmerzes – oder vielleicht deswegen – vom Wunsch besessen, zu siegen, zu gewinnen, erinnert Mireille an ihre eigene, mit vielen Hindernissen gepflasterte Geschichte. Von ihrer heutigen Warte aus, hier auf dieser

Bank, wo kein Zwang sie mehr erreichen kann, tun sie ihr leid.

Währenddessen hat die Dame mit dem rötlichen Kater das Tier auf die rechteckige grüne Rasenfläche gesetzt. Niesend beschnuppert es jeden Grashalm. Mit ausgeprägtem Sinn für Katzenpsychologie kommentiert die Dame die Eindrücke des Tiers. Manchmal richtet der Kater dankbar seine großen gelben Augen auf seine Herrin.

Zwischen diesen beiden gibt es keinen Krieg, kein Hindernis, nur eine Leine, die sie sich jedoch auf so harmonische Weise teilen, daß man sich fragt, wer denn wen festhält. Ein Band der Liebe zwischen einem Tierhals und einer alten Frauenhand, das weder den Hals noch die Hand verletzt, das vollkommene Bindeglied sozusagen zwischen zwei friedlichen waffenlosen Wesen.

Die Dame hat sich auf die Bank gesetzt. Der rötliche Kater rollt sich mit noch von der Wohltat des grünen Teppichs zitternder Nase vor ihren Füßen zusammen. Die beiden wärmen sich in der Sonne. Vier vor Seligkeit geschlossene Augen.

Mireille nimmt mit Genuß diese warme wohlige Ruhe in sich auf. Durch halb geschlossene Augen verfolgt sie die irisierenden regelmäßigen Streifen des geharkten gelben Sands, die Mireille in die Vergangenheit zurückversetzen, an den Tisch im elterlichen Eßzimmer, wenn es Kartoffelpüree gab und sie mit der Gabel Furchen in den Brei zog, ehe eine Sintflut von dunkler Bratensoße alles vollspritzte, obwohl mitten in dieser unbefleckten Landschaft ein Trichter für die Soße ausgehoben war. Jedesmal war Mireille fassungslos. Jedesmal entschuldigte sich ihre Mutter. Doch dank des unvergleichlichen Geschmacks der köstlichen Mischung und der Aussicht, auf einem sauberen Teller alles von vorn zu beginnen und erneut dieselbe Landschaft, dieselben tadellosen Furchen in den hellen Brei zu zeichnen, renkte sich dann alles wieder ein ...

Mireille schreckt auf: Der rötliche Kater ist auf ihren Schoß gesprungen.

»Carotte scheint Sie wohl zu mögen.«

Die alte Frau hat das im selben singenden Tonfall gesagt, in dem sie auch mit dem Tier spricht. Der Kater dreht sich mehrmals im Kreis, als wolle er sich ein Nest im Polster des Schoßes graben, dann rollt er sich zusammen und legt den Kopf auf Mireilles Bauch.

»Das kommt auch von Ihrem Rock. Wolle mag er am liebsten.« Mireille legt die Hände auf das warme Pelzknäuel. Die kleinen braunen Flecken, die von der Zeit gestickten Schattenblumen, machen sich auf Carottes fahlrotem Fell ausgesprochen gut. Mireille zählt wieder die Flecken. Die singende Stimme beginnt ihr leierndes Lied. Mireille hört zu. Sie stellt auch ab und zu eine Frage, wenn die Melodie stockt.

Sie erfährt dabei, daß die Dame mit dem rötlichen Kater in diesem Viertel wohnt. Sie ist hier geboren. Sie hat hier geheiratet. Sie wird hier sterben. Nachdem Fernand sie vor sechs Jahren allein gelassen hat, »schon sechs Jahre, Carotte, kannst du dir das vorstellen?«, hat sie beschlossen, ihre Wohnung aufzugeben, die zu groß und zu leer geworden war, und ist mit ihren kostbarsten Möbeln ins Altersheim »Bon Repos« gezogen. Dort fühlt sie sich nicht so allein. Aber das hindert sie nicht daran, zur Abwechslung hin und wieder in den Park zu gehen. Das ist der Park für Carotte. Oder eigentlich ist es der Park für sie beide, »nicht wahr, Carotte?«. »Carotte« ist allerdings ein komischer Name für einen Kater – sie selbst hätte ihn lieber nach einem Kaiser benannt: Cäsar oder Nero – aber die Tochter von der Leiterin des »Bon Repos«, die kleine Emilie, hat ihn nun mal so getauft, verstehen Sie ...

Im »Bon Repos«, o ja, da lebt's sich sehr gut. Der Garten ist hübsch hergerichtet. In diesem Jahr sind die Begonien wunderschön. Man muß schon sagen, Lucien – Lucien ist der Gärtner –, Lucien hat sich selbst übertroffen. Und Madame Choiseul – Madame Choiseul ist die Leiterin –, Madame Choiseul ist sehr nett. An jedem letzten Donnerstag im Monat gibt's nachmittags ein Konzert und dabei warmen Kakao und Kuchen mit Schlagsahne. Um nichts in der Welt würden Carotte und sie das Konzert zur Kaffeezeit verpassen: »Nicht wahr, Carotte?« Die ernste Musik, das ist schon was. Vor allem Chopin. Ja, ja, Chopin mögen sie am liebsten.

»Madame Choiseul? Die ist morgens zu erreichen. Sie können sich einen Termin geben lassen. Ist es für jemanden aus Ihrer Familie? Jedenfalls brauchen Sie nur anzurufen. Wenn Sie wollen, kann ich Ihnen mein Zimmer zeigen. Es liegt zum Garten hinaus, genau da, wo Lucien die Begonien gepflanzt hat. Alle wollen sie ins ›Bon Repos‹.«

Mireille spürt die feuchte Schnauze auf ihrem Bauch, die singende Stimme im Ohr. Luciens Begonien, die kleine Emilie und der Chopin-Kakao mit Kuchen und Schlagsahne geben ein weiches Kopfkissen ab.

Auf der Bank im Park träumen ein Kater und zwei Frauen vom »Bon Repos«.

Eine dieser Frauen ist eine alte Frau.

Schwer zu sagen, wer von den dreien am lautesten schnurrt.

Der Zwieback knirscht, scheint zu widerstehen und zergeht dann plötzlich, als verleugne er sich selbst, unter dem sanften Druck der feuchten Lippen.

Dieser innige Begrüßungskuß entspricht genau dem Maß an Anstrengung, das Mireille bereit ist, für ihr Dasein aufzubringen. Sie liebt das Knirschen und die friedliche Entsagung des Zwiebacks. Beim Brot muß man beißen, einen Widerstand überwinden.

Sie will nicht mehr in Brot beißen. Sie will überhaupt nicht mehr beißen. Knabbern ist für sie die neue Art, die Dinge, das Leben zu genießen, ohne Aufwand, ohne Leistungsdruck.

Und außerdem hat der mit Butter bestrichene

morgendliche Zwieback einen weiteren Vorteil. Er besitzt die Fähigkeit, ihre Phantasie schweifen zu lassen, ihre Träumereien anzuregen. Denn morgens tyrannisiert sich Mireille nicht mehr, widmet sich nicht mehr, mit den Putzlappen des Gewissens bewaffnet, ihren geistigen Waschungen. Sie unternimmt im Geist Streifzüge, flaniert mit einer besonderen Vorliebe für die Kindheit, die immer öfter in so bezaubernden Bildern vor ihr auftaucht, daß sie diese gerührt und hingerissen unermüdlich auskostet.

Eingehüllt in eine Fülle von Schultertüchern, Wollsachen und Plumeaus, denn sie friert jetzt leicht, sitzt sie im Bett, das Frühstückstablett auf den Knien, und durchstreift die Pfade der Erinnerung. In dieser Wärme schießen die Erinnerungen im Humus der Vergangenheit wie Pilze hervor, die sich mühelos sammeln lassen.

Der Zwieback knirscht. Er wird zum rieselnden Sand der Zeit, die beim dampfenden Tee im Duft von Honig und Marmelade verrinnt.

Heute hat Mireille drei noch ungeöffnete Briefe von Colette mit auf das Tablett gelegt. Das ist sie der Freundin wirklich schuldig.

Wenn man die Briefe aufmerksam liest, in der

Reihenfolge ihres Eintreffens, vermitteln sie eine klare Vorstellung von der Verwirrung der Schreiberin. Colette wirkt nach anfänglichen inständigen Bitten entrüstet und schließlich bekümmert. Ihre Verwirrung ist aufrichtig. Die Freundin leidet sichtlich darunter, daß sie nicht versteht, was vor sich geht. Aber würde sie es verstehen? Könnte sie etwas begreifen, was Mireille sich selbst nicht erklären kann? Wie lassen sich das sanfte Wiegen, der neue Rhythmus erklären?

Mireille steht auf, schlüpft in ihre Pantoffeln und den Morgenrock und bringt nachdenklich das Tablett mit den drei Briefen in die Küche.

Es ist elf Uhr, die Sonne steht schon hoch am Himmel. Die Grünpflanzen im Wohnzimmer haben genauso ein Recht auf ihre Dosis Sonne wie Colette ein Recht auf eine Antwort hat, sagt sich Mireille, während sie die Fensterläden zum Hof öffnet. Mireille steht vor dem Sekretär, der von einer dünnen, in der Sonne glänzenden Staubschicht bedeckt ist, und denkt nach. Links oben, im letzten Regal, liegt wie immer das Fotoalbum. Das Album gehört Delphine. Sie hat es an ihrem dreizehnten Geburtstag begonnen. Mireille erinnert sich daran, weil jener Tag mit einem Drama geendet hat. Zum erstenmal in ihrer bisher ungetrübten Kindheit hatte Delphine zusehen müssen, wie sich ihre Eltern heftig stritten. Das erstemal, daß der Vater die Mutter betrog. Das erstemal, daß die Mutter eifersüchtig war. Delphine hatte sich mit dem Album, kaum daß es ausgepackt war, in ihr Zimmer eingeschlossen. Die Fotos aus der Kindheit hatte Delphine wohl später in der Hoffnung in das Buch geklebt, das Unglück abzuwenden und die Bilder eines Glücks für immer festzuhalten, das plötzlich bedroht war.

Mireille blättert in dem Album, in dem eine kleine lächelnde Delphine auf die andere folgt. Das Album endet mit dem Lächeln des dreizehnten Geburtstags. Danach, nichts mehr. Kein Bild. Mireille will das Album gerade schließen, als ihr Blick auf die letzte Seite fällt: Dort klebt eine einzelne Aufnahme wie ein Schlußstrich unter dieser unvollständigen Geschichte. Es ist ein Foto von Delphines Großmutter, das wenige Monate vor ihrem Tod aufgenommen worden ist. Mireilles Mutter. Sie trägt ... Ja, tatsächlich, sie trägt das graue Kostüm ...

Mireille streicht nachdenklich mit dem Finger über den Staub des Sekretärs.

»Sie haben Glück ... Es sind gerade zwei Zimmer gleichzeitig frei geworden. Beide können ab nächster Woche bezogen werden. Das eine ist möbliert, falls Sie das interessiert. Wissen Sie, bei den Senioren in unserm Heim kann sich die Situation von einem Tag auf den anderen ändern.«

Madame Choiseul sagt das nicht ironisch. Ihre Worte drücken deutlich Sympathie, aber auch den praktischen Sinn einer Frau aus, die mit der Verwaltung beauftragt ist und Wert darauf legt, daß alles reibungslos vonstatten geht. Mireille lächelt verständnisvoll. Sie hört sich die Erklärungen der Leiterin des »Bon Repos« geduldig an und stimmt allem zu. Madame Choiseul holt ein Formular hervor: »Es handelt sich also um ...?«

Obwohl Mireille auf diese Frage vorbereitet war, ist sie einen Augenblick verwirrt. Sie senkt den Blick. Mit den Händen, die noch in Handschuhen stecken, zieht sie die Falten des grauen Rocks glatt. Wieder sieht sie das Foto ihrer Mutter in Delphines Album vor sich.

»Es ist ... für meine Mutter ...«, antwortet sie schließlich.

Dennoch sieht sie in dieser vorsätzlichen Lüge keinen eigentlichen Betrug, als sei an dem Erfundenen etwas Wahres, vielleicht einfach auf Grund des Kostüms, des grauen Kostüms.

Als Mireille wenig später – nachdem alle Verwaltungsprobleme gelöst sind und man ihr als Tochter ausnahmsweise sogar das Recht einräumt, das Zimmer bis zur Ankunft der Mutter ein paar Stunden in der Woche für sich selbst in Anspruch zu nehmen – Madame Choiseuls Büro verläßt, findet sie ihre fröhliche Ausgeglichenheit wieder und beschließt, als erstes in den Garten zu gehen, um zu sehen, ob Luciens Begonien wirklich so wunderschön sind, wie die Dame mit dem rötlichen Kater behauptet hat. Sie sind es tatsächlich.

Von dem stilvollen alten Haus geht eine friedliche Atmosphäre aus. Mireille macht einen Rundgang durch den Garten und bewundert die sauberen, kiesbedeckten Wege und die schnurgerade aufgereihten Stühle vor einem Rasenstück, das mit dem Lineal gezogen zu sein scheint. Im hinteren Teil, in der Nähe einer Veranda, deren gläserne Schiebetüren weit geöffnet sind, um die Sonne hereinzulassen, stehen im Halbkreis unter einer Kastanie ein paar Korbliegestühle. Mireille sucht sich im Geist ihren Sessel aus, weil sie das »Bon Repos« mit dem angenehmen Gefühl verläßt, dort erwartet zu werden, und zwar nicht erst, seit Madame Choiseul Mireilles Namen, den plötzlich aus der Kindheit ausgegrabenen Mädchennamen, in das Register eingetragen hat, sondern schon seit langem, seit jeher.

Vor dem Eingang steht ein kleines blondes Mädchen, lutscht Lakritz und sieht den vorbeifahrenden Autos zu. Das Kind, das nur die kleine Emilie sein kann, wartet auch auf sie …

Das ist der rechte Augenblick, um das dunkelblaue Kleid aus Seidenkrepp zu kaufen, das ihr sozusagen bereits gehört …

»Wie für Sie geschaffen!« Die Ladeninhaberin legt ihr den Gürtel um die Hüften.

»Ein äußerst günstiger Kauf... Seidenkrepp von dieser Qualität findet man heutzutage nicht mehr. Sie brauchen es nur ein wenig kürzen zu lassen, damit es modischer wirkt, und ...«

»Die Länge ist genau richtig. Es braucht nichts geändert zu werden. Ich behalte es übrigens an!«

Die Entschlossenheit der Käuferin erstaunt die Frau offensichtlich, doch Mireille macht sich schon lange keine Gedanken mehr über das Erstaunen anderer, sondern widmet sich nur noch der Aufgabe, ihren Neigungen zu folgen, und zwar ohne jene Gewissensbisse, die sie früher bei jeder Entscheidung des täglichen Lebens gequält hatten. Was Mireille von Mireille im Spiegel sieht, ist überzeugend. Das ist genau das Kleid, das sie haben wollte. Das ist so eindeutig, daß sie sich selbst zulächelt und dabei den Kopf ein wenig neigt, als wolle sie schon das gleichmäßige Rascheln des Seidenkrepps genießen, wenn er die hellen Baumwollstrümpfe streift.

Während Mireille durch die tosende Stadt nach Hause geht, unscheinbarer denn je, lauscht sie ihrem eigenen Geräusch. Endlich ist das Rascheln da, das kaum wahrnehmbare Knistern des Stoffes, wenn er etwas streift. Nach all den Kettenhemden, Rüstungen und Schlachtbannern, nach der jahrelangen Kostümierung als verführerische Kriegerin verleiht ihr die duftige Leichtheit des dunkelblauen Seidenkrepps etwas Schwebendes.

So kommt sie nach Hause. Kurz bevor sie in den Torweg huscht, blickt sie am gegenüberliegenden Haus hinauf. Er ist auf seinem Posten, steht am Fenster. Mireille bereut ihren Kauf nicht.

Er auch nicht, denn er hebt die Hand, ehe er im Dunkel verschwindet.

Aus dem Schlafzimmer hat sie zwei Kopfkissen mitgebracht, ein Schultertuch und das geblümte Plumeau. Sie hat das kalte Sofa des Wohnzimmers in ein Bett verwandelt, die Lampe auf dem Sekretär eingeschaltet. Sie hat das Notizheft mit der langen Liste der Anrufe und einen Bleistift in der Hand, ist bereit. Es ist der Tag des Muts. Der Abend der Zugeständnisse.

Und schon setzt die lange Folge der Monologe eines zugleich vertrauten und abstrakten Stimmentheaters ein. Der Anrufbeantworter spult die Nachrichten ab, als wären es Vorwürfe, denn ein Anrufbeantworter will, daß man antwortet, und sie hat nicht geantwortet. Da sind sie also auf der Bittstellermaschine, machen Vorschläge, sind schließlich verwundert, toben, stellen Vermutungen an, sorgen sich, sind in Weißglut gebracht von der Bewährungsprobe des Schweigens, das Mireille ihnen seit Wochen aufzwingt.

Sie hört zu, hört zu wie bei den Nachrichten im Radio, auch wenn es ganz spezielle Nachrichten sind, die sie selbst betreffen, ihr nahegehen, sehr nahe – oder ihr nahegehen sollten.

Jede Stimme bringt Bruchstücke an die Oberfläche, Schichten ihrer selbst, die ihr eine Anstrengung abverlangen. Es ist, als sei ihr Gedächtnis in tausend Stücke zersprungen, in Splitter mit unangenehm scharfen Kanten. Die Gesichter, die sich mit den Stimmen aufdrängen, lassen sie nach Luft ringend atemlos in die Erinnerung stürzen und halten ihr vor Augen, was sie gewesen ist, und auch, was sie nicht mehr ist. Die Anzahl der Wochen spielt keine Rolle. Sie ist nicht entscheidend. Die Welt, aus der diese Stimmen kommen, ist einfach anders beschaffen, zwar vernehmbar, aber nicht annehmbar. Sie gehört nicht der Vergangenheit an oder einer anderen Zeit. Sie ist ein Anderswo, ein Anderssein.

Und auch dabei ist alles eine Frage des Tempos, des Rhythmus. Im gebieterischen Ton all dieser Stimmen liegt soviel Überspanntheit, soviel Forderndes. Kann ein Ohr, in dem noch das Rascheln des Seidenkrepps nachklingt, den Rhythmus, die Intensität einer solchen Energie ertragen? Diese Stimmen sind alle so entschlossen, so ungestüm, daß es Mireille verblüfft. Alle sprechen davon, daß etwas zu tun sei, sprechen von Vorhaben, die »unverzüglich«, »um jeden Preis« ausgeführt werden müssen. Dieses Zwanghafte, diese Besessenheit sind verwirrend. Was würden wohl diese Stimmen sagen, wenn sie wüßten, daß Mireille nun, da der Wunsch nach dem dunkelblauen Kleid aus Seidenkrepp erfüllt ist, im Augenblick keine anderen Pläne mehr hat, als eine Linsensuppe mit Ochsenschwanz zu kochen, und daß ihr ganzes Programm für die nächsten Tage darin besteht, sich mit dem Zimmer fünfundzwanzig im »Bon Repos« vertraut zu machen, dem möblierten Zimmer mit Ausblick auf die von Lucien gepflanzten Begonien? Dieses Zimmer fünfundzwanzig ist übrigens ein Luxus, den Mireille sich leistet, denn sie fühlt sich in ihrer eigenen Wohnung äußerst wohl, ein Luxus, der ihr von Zeit zu Zeit erlauben wird, die unerschöpflichen Freuden des Nichtstuns mit anderen Menschen zu teilen, frei schwebend wie in einer Luftblase, am Rand der Welt, fern von allem Trubel.

Die Botschaften enthalten eine lange Reihe von Vorschlägen, Vergnügungen aller Art: ein Mittagessen mit Gisèle »ganz unter Frauen«, ein Ausverkaufsbummel mit Corinne, eine Verabredung im *Max-Linder* zu einer Filmpremiere in der Acht-Uhr-Vorstellung, »heute abend, unbedingt« mit Philippe, die Keramikausstellung in der Rue Bonaparte mit Charles, der soundsovielte Hochzeitstag der Burniers, das kleine Tête-à-tête »in allen Ehren« mit Marc, ein weiterer Ausverkaufsbummel, aber diesmal mit Geneviève, und mit Paul die neue Inszenierung – man muß sie »unbedingt« gesehen haben – eines Stücks von einem Autor, dessen Namen sie nicht behalten hat. »Unbedingt«, ein Wort, das sie haßt und dennoch selbst so oft benutzt hat, der Ausdruck des Befehls schlechthin, das Wort des Strammstehens, des Gewehr-über-Gebrülls, das auf wer weiß welch höheren, verbindlichen Befehl zurückgeht. Mehrere »Was machst du in diesem Sommer, Chérie?«, die Wochenenden am Meer zu Himmelfahrt, im Gebirge zu Pfingsten oder umgekehrt. Zahllose Einladungen, die Mireille aus Gewohnheit, Reflex oder einfach, um den Rhythmus einzuhalten, sicher nicht abzulehnen gewagt hätte (wenn sie überhaupt auf den Gedanken gekommen wäre), und jetzt erschöpft sie allein die Vorstellung, daß sie zwangsläufig eingewilligt hätte, noch nachträglich.

Fröstelnd zieht sie das Schultertuch enger um sich, läßt sich tiefer in die Kissen sinken. Doch sie muß zugeben, daß Jacques sie mitten in diesem Gedränge beträchtlich verwirrt hat, Jacques, dessen Stimme sich von Nachricht zu Nachricht verändert. An ihm kann sie die Entfernung zwischen sich und sich ablesen. Und doch gelingt es ihm nicht, ihr Herz zu erweichen. Sein Flehen, seine Drohungen lassen sie erstaunlich kalt. Sie findet an Jacques ebensowenig Geschmack wie an dem Champagner, mit dem er sich eines Abends Zugang verschafft hatte. Nicht mehr prickelnd. Das ist bedauerlich für ihn und ein bißchen ungerecht natürlich, zugegeben, aber Jacques' Stimme auf dem Anrufbeantworter verbindet sich für Mireille mit dem leicht angebrannten Geschmack, der ihr eine Suppe verdorben hat. Jacques selbst hat für sie – fatalerweise –

etwas Angebranntes. Ungenießbares. Liegt es daran, daß er der Eifrigste und Begabteste unter ihren Liebhabern war? Wie dem auch sei, der Überdruß, den sie jetzt beim Klang seiner Stimme empfindet, ist ungeheuer groß und nicht zu leugnen.

Nach achtzehn Anrufen des Liebhabers, die zum Glück von einigen unterhaltsameren Vorschlägen unterbrochen sind, beschließt Mireille, Jacques einen Brief zu schreiben, der seinem unablässigen Ansturm endgültig die Munition entziehen soll, ohne seine männliche Ehre zu verletzen – der sie nichts anhaben will –, einen Brief, der jenem ähnelt, den sie der trauernden Freundin Colette geschickt hat, die im Anderswo und Anderssein Trübsal bläst. Den anderen gedenkt sie einen Standardbrief zu schreiben, in dem sie ihnen mitteilt, daß sie für lange Zeit auf Reisen geht, denn es scheint ihr wenig wünschenswert, diese Anrufbeantworter-Sitzungen mehrfach zu wiederholen, die, wie sie feststellt, zwangsläufig jenes noch empfindliche klangliche Gleichgewicht beeinträchtigen, das auf dem Rascheln des Seidenkrepps beruht, wenn er Baumwollstrümpfe streift …

Wankend vor Müdigkeit verläßt Mireille mit dem Plumeau und den Kopfkissen unter dem Arm das Wohnzimmer. All diese ungestümen Aufforderungen, die sie letztlich mit mehr Widerwillen als Befriedigung erfüllen, weil sie heute darin nichts als Zwang und Abhängigkeit sieht, haben sie ziemlich erschöpft. Sie braucht die Ruhe ihres Schlafzimmers, in dem es immer nach einer Mischung aus Kölnisch Wasser und Eisenkraut duftet, braucht auch Musik, die ihre von den schrillen Klängen strapazierten Ohren besänftigt. Sie hat Glück: Im Radio gibt es ein Nocturne von Chopin, so daß sie sich nur noch dem tröstlichen Gedanken zu überlassen braucht, diese Musik vielleicht bald in Gesellschaft der Dame mit dem rötlichen Kater im »Bon Repos« zu hören und dabei einen in Kakao getunkten Keks oder Zwieback auf der Zunge zergehen zu lassen.

In dieser Nacht besucht die Dame in Blau sie schon wieder. Es ist immer der gleiche Traum. Die Dame in Blau und Mireille trippeln mitten in einer Menschenmenge nebeneinander her, doch vor allem plaudern sie. Sie unterhalten sich in solch vertrautem, innigen Ton, daß die eine den

Satz beendet, den die andere begonnen hat. Ihre Herzen schlagen im gleichen Takt. Manchmal sind ihre Gesichter nicht mehr voneinander zu unterscheiden, vertauschen sich, ebenso wie die Worte, die sie mühelos wechseln.

Sie erzählen vom sanften Wiegen, vom neuen Rhythmus. Manchmal geben sich die beiden auch die Hand, und bei der Berührung ihrer Netzhandschuhe entsteht wie bei dem morgendlichen Zwieback ein angenehmes Geräusch, ein Knirschen wie von Sand, der zwischen den Handflächen gerieben wird und die Zeit Korn für Korn verrinnen läßt.

Von diesem Knirschen wird Mireille im allgemeinen wach. Dann steht sie auf und setzt sich auf den Nachttopf. Sie zieht diesen Augenblick gern in die Länge, schließt, während der Urin geräuschvoll auf den Emailleboden trifft, die Augen, um den Schlaf zu retten, ihn in den lauen Dämpfen warm zu halten, und legt sich, halb schlafend schon, voller Zufriedenheit wieder ins Bett, voller Zufriedenheit über ihren Nachttopf, der seit kurzem zu einem vertrauten Begleiter ihrer Nächte geworden ist und den sie, wie sie sich vorwirft, erst so spät wiederentdeckt hat, nachdem sie ihn schon so früh kennengelernt hatte, denn auch er trägt zum sinnlichen Vergnügen bei, sich nicht mehr wie früher Gewalt anzutun, wenn sie aus dem Schlaf hochfuhr und sich an den Möbeln stieß, um ins Badezimmer zu gelangen, wo sie, nun endgültig wach, dem kommenden Tag mit Schrecken entgegensah – die bevorstehende Offensive, die Acht-Uhr-Nachrichten mit dem Filmregisseur, die Titelseite von *Paris-Match* für die Hauptdarstellerin und die Besucherzahlen, vor allem die Besucherzahlen – das sicherste Mittel, nicht wieder einzuschlafen.

Aber heute, o Wunder, flößt ihr der kommende Tag keine Angst mehr ein …

Im »Bon Repos« macht sich Mireille mit den Freuden der Mittagsruhe vertraut. An einem oder zwei Nachmittagen in der Woche liegt sie in ihrem Korbliegestuhl oder auf dem Zimmer fünfundzwanzig in die Tagesdecke gehüllt und schläft, begleitet vom Piepsen der Vögel, die in der Kastanie eine Versammlung abhalten, mit gefalteten Händen und einem offenen Buch auf den Knien ein. Diese völlig neue Mühelosigkeit, sich dem Schlaf zu überlassen, begeistert sie, denn in all den Schlachten, die sie geschlagen hat, hat sie sich das Recht auf Schlaf, wie sie sich noch gut erinnert, immer erst nach harten Kämpfen erzwungen. Im allgemeinen erforderte es viele Tricks und Listen, ehe die Nacht nach langem Widerstand die Waffen streckte und Mireille beim ersten Schimmer des Morgengrauens erschöpft Ruhe fand. Heute werden ihr die Seligkeiten des Schlafs geschenkt, ohne daß sie kämpfen muß, und das nicht nur abends, sondern zu jeder Tageszeit, sie braucht sich nur nach ihm zu sehnen.

Sobald Mireille die Augen schließt, gleiten ihre Gedanken – weil kein störendes Bild sie mehr hindert –, von der Last der allgemeinen Hektik befreit, ganz natürlich einem immateriellen Schwerpunkt entgegen, wo sie mit dem Körper verschmelzen. Eine organische Trägheit bemächtigt sich aller Dinge, ob Leben oder Materie, und der Schlaf verschlingt sie in einem zähen Strom warmer Melasse. Ein leichter Fersenhieb, und schwupp, schon taucht sie aus dem Strom auf, schlägt munter ohne die geringste Angst die Augen wieder auf.

»Beim nächsten Konzert kommt eine Harfenspielerin.«

Mireille öffnet die Lider ... Der um den Hals der Dame gerollte rötliche Kater gleicht einem breiten Pelzkragen.

»Carotte und ich haben eine Vorliebe für Harfe.«

Mireille richtet sich erfreut in ihrem Liegestuhl halb auf, denn die Litanei beginnt: Zunächst geht es um die Harfe, dann um etwas anderes und schließlich um noch etwas anderes. Die Litanei erfordert, ebenso wie der Schlaf, keine Anstrengung. Man braucht sich nur von den wie Perlen aufgereihten Sätzen tragen zu lassen.

Die Dame mit dem rötlichen Kater versteht es, kunstvoll Gemeinplätze zu gebrauchen. Nichts von dem, was sie bemerkt, ist von Bedeutung. Manch einer würde vielleicht gelangweilt, wenn nicht gar mit Unmut auf ihr Gerede reagieren. Mireille dagegen gewinnt diesen Worten, wenn sie deren unübertreffliche Belanglosigkeit entdeckt, ein behagliches Gefühl der Fülle ab. Man spürt genau, daß die Dame mit dem rötlichen Kater nicht die Absicht hat, mit ihren Worten etwas zu erreichen. Die Zustimmung des anderen ist nicht erforderlich. Sie erzählt, um zu erzählen, aus Vergnügen an den Worten, die sich aneinanderreihen oder besser gesagt, die Masche für Masche miteinander verbunden werden. Ein Substantiv rechts, ein Verb links. Beim Stricken der Sätze fehlt nur das Klappern der Nadeln.

Dieses erholsame Plaudern fasziniert Mireille, die sich bewußt ist, daß sie sich, was die Worte angeht, noch bedauerlichen Ernstes verdächtig macht. Die Dame mit dem rötlichen Kater weiß nicht, daß sie Mireille die fürstlichste Form der Sprache lehrt: jene, die darin besteht, Nichtssagendes zu sagen. Mireille übt sich jeden Tag ein wenig mehr darin. Inzwischen läßt auch sie sich dann und wann zu einer Litanei verleiten, der die Dame mit dem rötlichen Kater mit abwesender Miene, doch mit dem Wohlwollen eines Menschen zuhört, der die Bedeutungslosigkeit des Redens kennt.

Und bei der Beschäftigung mit der Kunst der Litanei hat Mireille übrigens rein zufällig das Geheimnis des Schwafelns entdeckt.

Im Unterschied zur Litanei, die eine Aufzählung voraussetzt, ermöglicht ihr das Schwafeln, immer wieder auf denselben Gedanken zurückzukommen, wobei es besonders unterhaltsam ist, wenn es ihr gelingt, diesen stets mit denselben Worten auszudrücken. Das erweist sich als sehr erholsam. Seit Mireille dieses kleine Geistestraining erfolgreich praktiziert, entwickelt sie auch die Kunst des Sinnspruchs, der ihr auf die Dauer erlaubt, von den eigenen Worten Abstand zu nehmen, was den doppelten Vorteil hat, keine Energie zu vergeuden und sich immer ein offenes Ohr zu bewahren.

Schwafeln kann man auch mit sich selbst, und Mireille verzichtet nicht darauf, während sie ihre Gräser zeichnet oder hinter der Cretonnegardine aus ihrem Küchenfenster auf die Straße blickt ...

Kurz gesagt, die Dame mit dem rötlichen Kater hat zwei Reihen über die Harfe, zwei über die Begonien und fünf über die kleine Emilie gestrickt, »die so gut in der Schule in der Rue Blanche zurechtkommt, der besten Grundschule im Viertel«. Die Strickerei geht mit Erziehung und Berufungskrise bei den Grundschullehrern schnell voran. Mireille bewundert wieder einmal, mit welcher Kunstfertigkeit ihre Gefährtin Nichtssagendes äußert. Mireille lernt.

»Kommt Ihre Frau Mama bald?« fragt die Dame mit dem rötlichen Kater, um eine Pause einzulegen, denn die Litanei bedarf ab und zu einer formalen Frage, die die Sache wieder in Gang bringt und erlaubt, Atem zu holen. Mireille nutzt die Gelegenheit, um sich ihrerseits in die Strickerei zu stürzen, etwas Selbstgestricktes aus fiktiver Wolle in erfundenen Farben. Ja, ja, ihre Mutter komme, aber erst später ... Sie halte ihr gewissermaßen den Platz warm ... Madame Choiseul habe nichts dagegen, solange die Finanzen stimmten ... Wenn man seine Mutter liebe, müsse man sich doch vergewissern, daß das Haus, das man für ihren Lebensabend ausgesucht hat, anständig und gemütlich ist, eines erfüllten, beispielhaften Lebens würdig ... Ja, ja, ihre Mutter sei noch auf Reisen ... Sie werde sich im Zimmer fünfundzwanzig sicher wohlfühlen, es sei so hübsch eingerichtet, ganz zu schweigen von der geschmackvollen Wahl der Gardinen, der Vorhänge und der Tagesdecke, in die sie sich so gern beim Mittagsschlaf einhülle, während durch das offene Fenster das Piepsen der Vögel dringt ...

Die Dame mit dem rötlichen Kater nickt, hört aber nicht mehr zu. Sie läßt die Augen nicht von der Leine des Tiers, das wohlig die Flanken am Bein des Korbsessels reibt. Mireille redet vor sich hin, ohne sich darüber Gedanken zu machen, was sie sagt, eingelullt von ihrem eigenen Geplapper, das niemanden interessiert, nicht einmal sie selbst. Auch das ist erholsam.

Manchmal kommt die kleine Emilie, um mit Mireille zu plaudern. Das ist etwas ganz anderes als mit der Dame mit dem rötlichen Kater. Der Scharfsinn des Kindes zwingt Mireille zur Wachsamkeit. Für das Mädchen haben die Worte Gewicht, um nicht zu sagen Übergewicht. Die kleine Emilie erwartet eine direkte, klare Antwort, was nicht immer einfach ist, vor allem, wenn sie Mireille nach ihrem Alter fragt oder so etwas. Anfangs hat sich Mireille mit ein paar Scherzen aus der Affäre ziehen können, doch das war das Kind bald leid. Wenn Mireille jetzt eine Frage stört, tut sie so, als hätte sie nichts gehört. Die kleine Emilie hat sich schließlich mit dieser Altersschwäche abgefunden, die im »Bon Repos« respektiert wird, aber man spürt deutlich, daß die Sache sie nicht überzeugt. Abgesehen davon ist sie ein reizendes Kind, für das sich Mireille weit mehr interessiert als für ihre eigene Tochter, als diese im selben Alter war. Sie zeichnen gemeinsam die Gräser der südamerikanischen Indianer und fragen sich gegenseitig die Erdkundelektionen ab, die in der ersten Klasse der Schule in der Rue Blanche, der besten Grundschule im Viertel, durchgenommen werden.

Mireille wendet den Kopf. Rings um sie herum, unter der Kastanie voller Gezwitscher, macht sich niemand ernsthaft Gedanken, weder über das, was man sich erzählt, noch über das, was vor sich geht, selbst wenn eine Krankenschwester im weißen Kittel, mit Medikamenten und guten Ratschlägen gewappnet, mit geradezu ungebührlichem Tatendrang den Lauf der Dinge durcheinanderbringt.

Auch die älteren Heimbewohner, die Mireille immer mehr als Familienangehörige betrachtet, verstehen es auf ihre Art, da zu sein, ohne wirklich da zu sein. Sie nehmen Anteil, aber aus der Ferne, als nähmen sie die Dinge durch eine Wattewand wahr, die alle Bewegungen und Geräusche dämpft. Trotz der Mühsal des Alters, die Mireille selbst noch nicht kennt, auch wenn sie weiß, daß diese irgendwann beginnt, liegt auf den ernsten, verbrauchten Gesichtern überwiegend Gelassenheit. Sie sind von einem Seelenfrieden geprägt, der Ruhe eines bereitwilligen Wartens, wobei der Tod, mehr Freund denn Feind, statt zu erschrecken Tröstung bringt.

Manchmal versenkt sich Mireille in die Betrachtung eines Gesichts oder einer Hand. Sie entziffert darin die Qualen eines ganzen kämpferischen Lebens. Sie errät darin tausend alte Narben von Hieben, Stichen und sogar Dolchstößen. Doch die Wunden haben sich geschlossen. Sie bluten nicht mehr. Die Haut hat den schillernden, leuchtenden Schimmer mancher alter Pergamente.

Die Menschen im »Bon Repos« lassen die Wunden der Vergangenheit in Ruhe vernarben.

Natürlich besitzt Mireilles Vergangenheit noch nicht die Patina von Pergament. Ihr früheres Leben ist noch viel zu nah, um sich diesen Glanz verdient zu haben, aber dennoch handelt es sich um etwas Verflossenes. Es gehört der Vergangenheit an, dessen ist sie sich sicher, so sicher, daß auch sie die Gegenwart als Geschenk empfindet, als eine Gunst, die Gunst stiller Besinnung.

Für Mireille ist die Langsamkeit künftig ein Teil ihrer selbst. Das trifft auf ihren Gang zu – der kleine Schritt dient ihr weiterhin als Maßeinheit –, aber auch auf ihre Gesten, als käme ihr das Gewicht der Dinge zu Bewußtsein. Der Arm, den sie ausstreckt, hat ein Gewicht, das Bein, das sie beugt, hat ein Gewicht. Alles hat ein Gewicht. Das macht die Sache übrigens durchaus nicht unangenehm. Es ist eine andere Art, mit dem Wiegbaren zu leben. Die Schultern, auf denen das Leben gern seine Bürde an Fragen und Sorgen ablegt, haben sich von selbst leicht gebeugt, um diese Last besser entgegenzunehmen, eine Last, die im übrigen durch die Leere ihres Daseins ungemein verringert worden ist.

Daher genießt Mireille die wohlbemessene Langsamkeit ihrer Bewegungen und die Dichte, die dadurch entsteht. Mireille findet sogar, daß diese Langsamkeit ihren Handlungen, die auf ein Mindestmaß begrenzt sind, Rechtmäßigkeit verleiht. Sie sagt sich zum Beispiel, daß die Zeit, die sie für das Passieren des Gemüses aufbringt, Möhre nach weißer Rübe, Porree nach Kartoffel, durch den unvergleichlichen Geschmack und die sämige Konsistenz ihrer Suppen gerechtfertigt wird. Und wenn Luciens Begonien immer prachtvoller werden, dann auch deshalb, so sagt sie sich, weil sie, auf die Fensterbank des Zimmers fünfundzwanzig gelehnt, stundenlang zusieht, wie die Blumen wachsen und gedeihen. Wenn sie auf diese Weise, die Zeit in die Länge ziehend, daran teilnimmt, wie die Begonien prächtig erblühen, muß sie unwillkürlich an ihre Tochter Delphine denken, die in solchem Trubel aufgewachsen, so schnell in die Höhe geschossen ist, daß Mireille sich jetzt fragt, wo und wann sie überhaupt an Delphines Wachstum teilgenommen hat. Hat sie jemals innegehalten, um ihr eigenes Kind wachsen zu sehen? Dazu hätte sie selbst eine Pause einlegen oder wenigstens ihr eigenes Tempo bremsen und den Kopf zur Seite wenden müssen, auf die Gefahr hin, ihren sicheren Vorsprung zu verlieren und zusehen zu müssen, wie ihr Erfolg im Beruf, in der Liebe und auch sonst überall verblaßte.

Für Mireille gibt es nicht nur Langsamkeit und Dichte, sondern auch, wie schon gesagt, das erfüllende Gefühl, kein Begehren, kein Bedürfnis mehr zu spüren, die Glückseligkeit, von nichts und niemandem mehr verwirrt zu werden – nicht einmal von sich selbst, wenn sie zum Beispiel im Bett die Hand abwesend über ihren Bauch oder ihre friedlich schlummernden Brüste gleiten läßt – und die unübertreffliche Empfindung, einen Körper zu haben, der sich selbst genügt und dem weder Großtaten noch Spitzenleistungen abverlangt werden. Ihre Nacktheit löst keine verwirrende Vorstellung aus. Mireille begnügt sich damit, sich so zu betrachten, wie sie eine Anatomietafel in einem medizinischen Werk begutachtet hätte. Zum erstenmal in ihrem Leben hat sie endlich die Muße, sich objektiv zu betrachten, die Anordnung des Fleisches am Skelett, den Mechanismus eines Gelenks oder den Ansatz eines Muskels zu bewundern und sich mit dem Gedanken anzufreunden, daß sich all das vor ihren Augen verwandeln, verbrauchen wird.

Von sich selbst verlangt sie jetzt nicht mehr, als sich so, wie sie ist, beim Leben zuzuschauen. Vor dem Spiegel im Badezimmer, wenn sie den Knoten im Nacken feststeckt, stellt sie sich keine Fragen mehr, wird nicht mehr ungeduldig. Sie verfolgt nicht mehr, wie die grauen Haare allmählich zahlreicher werden. Man möchte meinen, sie betrachtete sich anders, ohne sich wirklich zu sehen, oder aber das, was sie sähe, gefiele ihr einfach sehr gut. Und wenn Lucien eine neue Begonie pflanzt, so ist ihr das wichtiger als eine neue Falte am Hals oder am Mundwinkel. Sie zählt nicht mehr die braunen Blumen auf ihrem Handrücken. Mireille verlernt, sich um ihr Aussehen zu kümmern. Das ist ihre neuste Errungenschaft, ihre neue Freiheit.

Wer hätte sich vorstellen können, daß sie es eines Tages genießen würde, nicht mehr unweigerlich von den Männern scharf gemustert zu werden, deren Urteil, wie ihr auf einmal klar wird, sie in den schönsten Jahren ihres Lebens mit Sorge erfüllt hat? Den Männern und ihren

Blicken begegnet sie jetzt völlig ungefährdet. Sie gleiten an ihr ab wie die Liebkosung einer leichten, wohltuenden Brise. Die Männer und ihre Blicke fordern nichts, sie wollen weder erobern, noch erobert werden. Kurz gesagt, sie lassen sie in Ruhe. Sie lassen sie endlich leben.

Doch das bedeutet nicht, daß sie dem Reigen der Verführung, der rings um sie weiterhin in vollem Gange ist, gleichgültig gegenübersteht. Es kommt vor, daß sie lange auf der Bank einer Allee sitzen bleibt, um die endlosen Duelle zu bewundern, die sich die anderen mit Blicken liefern.

Die Ausdauer der Männer erregt ihre Bewunderung. Die Raffinesse der Frauen verblüfft sie. Sie denkt an all die Energie, die sie selbst bei diesem Spiel aufgewendet hat. Und natürlich bringt sie wieder all ihre Zärtlichkeit und ihr Mitgefühl den ganz jungen Mädchen entgegen, wenn sie zusieht, wie diese die Freuden der Koketterie entdecken, ohne zu ahnen, auf welche Zwänge sie sich einlassen.

Endlich die Sorge los zu sein, was sie anziehen soll, wenn sie einen Spaziergang im Park oder anderswo macht, steht jetzt auf der langen Liste der Dinge, die ihr keinen Kummer mehr bereiten können. Mireille verbringt nun nicht mehr bange Stunden unentschlossen vor dem offenen Kleiderschrank, um sich kurz darauf beim Verlassen des Hauses zu fragen, ob die Burniers sie nicht etwa schon bei einem früheren Abendessen in diesem roten Ensemble gesehen haben oder ob Gisèle nicht auf den dummen Gedanken gekommen sein könnte, die gleiche Jacke im selben Geschäft heimlich im Ausverkauf zu kaufen. Ganz zu schweigen von den Liebhabern, von den ungeheuren Ansprüchen der Liebhaber, von Jacques, mein Gott, Jacques, den sie jedesmal mit irgendeinem modischen Kinkerlitzchen oder einem neuen Spitzenteil überraschen mußte, die, wie er sagte, nötig waren, damit seine erotische Inspiration auf Touren kam!

Kurz gesagt, wenn es draußen kälter wird, zieht sie das graue Kostüm und ihre dicken Nylonstrümpfe an, und wenn es wärmer wird, das Kleid aus dunkelblauem Seidenkrepp und dazu ihre Baumwollstrümpfe.

Durch diese nicht zu engsitzenden Kleider, die sich im Gegensatz zu ihrer früheren Garderobe nicht mehr nach jedem zu reichlichen Essen in Folterwerkzeuge verwandeln, lernt sie auch die Vorzüge der Bequemlichkeit kennen, einer Bequemlichkeit, die im wesentlichen auf einer gepflegten und sogar durchaus eleganten Nachlässigkeit beruht, mit Hut und passenden Netzhandschuhen.

Mireille macht sich nun keine Sorgen mehr über ihr Gewicht und auch nicht über die Beschaffenheit ihrer Haut. Übrigens hat sie ihre Waage Delphine gegeben, bevor diese nach Spanien gefahren ist. Die leichte Erschlaffung, die sich ihrer Muskeln und ihres Fleisches bemächtigt hat, findet sie überaus angenehm.

Sie erwartet von ihrem Körper nichts anderes, als daß er einwandfrei arbeitet, eine Erwartung, die er übrigens besser denn je erfüllt, seit sie sich keine Gewalt mehr antut.

Ihre neue Errungenschaft, ihre neue Freiheit.

Wenn ihr die Natur den Gefallen eines objektiven, sichtbaren Zeichens des Alterns erweist, so nimmt sie dies dankbar hin. Der Kauf ihrer ersten Brille im vergangenen Monat hat sie mit ebensolcher Rührung erfüllt wie der Anblick ihrer ersten Seidenstrümpfe an ihrem fünfzehnten Geburtstag. Und seither benutzt sie begeistert diese Brille, setzt sie aus reiner Freude über deren Vorhandensein bei jeder Gelegenheit auf und ab.

Seit ein paar Tagen hat sie den Eindruck, schlechter zu hören. Sie läßt sich oft von ihren wenigen Gesprächspartnern etwas wiederholen, vor allem im »Bon Repos«, wo es zur Höflichkeit, zum guten Ton, ja sogar zum Protokoll gehört, das Ohr ein wenig vorzustrecken, denn sich etwas wiederholen zu lassen, ist zugleich ein Zeichen des besonderen Interesses, das man jemandem entgegenbringt. Auch Mireille eignet sich also die durchaus anmutige Gewohnheit an, sich vorzubeugen und den Kopf dem Mund des Sprechers schräg zu nähern, eine Haltung, die darüber hinaus eine gewisse Zuvorkommenheit zum Ausdruck bringt. Und auch ihren eigenen Worten, die durch die Einsamkeit ihrer Wohnung etwas Feierliches, Ehrwürdiges bekommen, räumt sie, wie sie gemerkt hat, endlich den Platz ein, der ihnen zusteht.

Denn das Schwafeln ist nicht jeder Situation angemessen. Manchmal ist es nötig, andere Worte zu finden, etwas ganz Neues hervorzubringen.

Laut mit sich selbst zu sprechen, die Kunst der Rede weiterzuentwickeln und alle existierenden rhetorischen Figuren zu benutzen, beschäftigt sie ungemein. So stellt sie immer noch Mutmaßungen über das Rätsel von Michel an, den Mann mit dem dicken feuchten Arm, und dessen magerer Frau. Was mochte diese Frau bloß getan haben, das sie nicht hätte tun sollen, und noch dazu für ihn? Nach diversen Deutungen entschied sich Mireille schließlich für zwei mögliche, gleich schwere Vergehen: entweder hatte sich die Frau das Haar kurz schneiden lassen, oder sie hatte ihr Kind nicht behalten wollen, auch wenn die obszöne Gewalt, die in dem Kuß zum Ausdruck kam, hinter alldem ein finsteres Sexualverbrechen vermuten ließ ...

Wenn man so, allein, laut mit sich selbst spricht, bekommen die Worte ein anderes Gewicht, eine andere Dichte, vor allem in der Küche, die Mireille nun zugleich als Wohn-, Arbeits- und Eßzimmer sowie als Wachtturm dient.

Vom Turm aus – das heißt, aus der Fensterecke – intensiviert sie weiterhin ihre Beobachtungen. Sie hat dabei inzwischen mehr über die Menschheit erfahren als in zweiundfünfzig Jahren turbulenter, hitziger Manöver. Seit sie sich aus dem Getümmel zurückgezogen hat, kann sie endlich die Kämpfer deutlich erkennen, wenn sie sich ins Gewühl stürzen, und natürlich hat sie wieder Mitleid mit ihnen.

Wenn der ernste alte Herr am Fenster gegenüber auftaucht, ist das Glück vollkommen. Wortlos nehmen sie am selben Schauspiel teil, und immer sind sie sich wortlos einig. Ihr stummer, gemeinsamer Blick wird ebenso zu einem Ritual wie die einsamen Worte, die Mireille beim Putzen der grünen Bohnen oder beim Bügeln ihrer Bluse zu sich sagt ...

Als sie eines Sonntags vorhatte, wegzugehen, und noch kurz einen Blick aus dem Fenster zum Himmel warf, um sich zu vergewissern, daß kein Regen drohte, wollte es der Zufall, daß sie auf dem gegenüberliegenden Bürgersteig Jacques und Colette entdeckte, die regungslos auf ihr Haus starrten.

Sie kann nicht vergessen, wie ihr das Herz vor Schreck fast stehenblieb. Die beiden verfolgten sie! Gemeinsam! Bis vor ihre Tür! Dabei hatte sie doch beiden einen Brief geschrieben, in dem sie im Namen der Liebe beziehungsweise der Freundschaft ihre Unabhängigkeit gefordert, wenn auch weder an die Liebe noch an die

Freundschaft ein Zugeständnis gemacht hatte. Dennoch hatte sie den Eindruck, deutlich und überzeugend genug nur eine einzige Forderung gestellt zu haben: für eine »gewisse Zeit«, wie sie gesagt hatte (insgeheim mit der Absicht, diesen Zeitraum endlos auszudehnen), gelassen darauf zu verzichten, die alten Beziehungen aufrecht zu erhalten.

Wie konnten sie es sich dann erlauben, unter ihrem Fenster ein Komplott zu schmieden? Was zettelten sie nur mit ängstlicher, verbissener Miene gegen sie an? Vermutlich hatten Jacques und Colette sie gesehen, bevor sie mit einem Satz zurückgewichen war, denn als sie sich vorsichtig der Cretonnegardine näherte, stellte sie fest, daß die beiden sich nicht rührten, streng und unerschütterlich wie zwei Wachposten.

Warum hatten sie nicht versucht, an ihrer Wohnungstür zu schellen? Mireille hat keine Ahnung. Diese unausstehliche Schnüffelei, auf die sie sich eingelassen hatten, zog sich eine halbe Stunde hin, eine endlose Zeit, in der Mireille wie gehetzt ihre Bluse, die sie gerade für den Spaziergang im Park frisch gebügelt hatte, vor Angst durchschwitzte. Unfähig, sich zu rühren, den

Blick fest auf diese lästigen Besucher geheftet, in denen sie nur mit Mühe den Liebhaber und die Freundin wiedererkannte, wäre Mireille vielleicht schwach geworden, wenn nicht plötzlich der ernste alte Herr, ihr aufmerksamer Mitwisser, wie durch ein Wunder am Fenster gegenüber aufgetaucht wäre. In wenigen Sekunden hatte er die Situation erkannt. Und dann tat er etwas ganz Einfaches, etwas so Einfaches, daß Mireille, wenn sie daran zurückdenkt, es als geradezu genial empfindet. Er öffnete geräuschvoll das Fenster, direkt über Colette und Jacques, die überrascht die Köpfe hoben, und begnügte sich damit, mit erbarmungslosem Blick, der alle Wesen und Dinge zu durchdringen vermochte, die beiden Eindringlinge zu durchbohren, bis diese mit reichlich betretener Miene den Rückzug antraten, Jacques, entmutigt, als erster.

Mireille verließ ihr Cretonneversteck. Sie fand es normal, ganz einfach normal, daß der ernste alte Herr sie mit einer Handbewegung aufforderte, die Straße zu überqueren.

Von der gegenüberliegenden Straßenseite gesehen ist die Straße nicht mehr ganz dieselbe. Eine andere Kulisse schmückt das Schauspiel, das sich jeden Tag dort abspielt. Diese ungewohnte Perspektive, dieser neue Blickwinkel, in dem plötzlich die Dinge erscheinen, erheitert Mireille. Und auch, daß sie ihre eigene Küche mit den Cretonnegardinen sehen kann. Sich Seite an Seite mit dem ernsten alten Herrn zu befinden, ruft ein noch intensiveres Gefühl hervor, als ihm gegenüberzustehen. Es ist eine andere Form der Gemeinsamkeit.

Sie stellen sich vor das Fenster, so wie man zu einer besonderen Vorstellung ins Theater geht. Noch immer haben sie eine Vorliebe für den

Schulschluß. Sie mögen dieselben Kinder. Dieselben Eltern erfüllen sie mit Rührung oder Abneigung, als käme hier beim Schulschluß in einer Umarmung oder einer Ohrfeige jede Ungerechtigkeit zum Ausdruck.

Zu zweit zu sein, ändert nichts an der Gewohnheit zu schweigen. Der ernste alte Herr sagt übrigens fast nie etwas. Sehen genügt ihm. Seine Augen, nur seine Augen drücken anschließend aus, was sie gesehen haben.

So wie Mireille bei der Dame mit dem rötlichen Kater die Litanei erlernt, den unbeschränkten, folgenlosen Gebrauch der Worte, läßt sie sich von dem ernsten alten Herrn ins Schweigen einweihen. Nachdem sie zu Hause beim Abzeichnen eines neuen Grases oder beim Passieren des Kartoffelpürees lange laut mit sich gesprochen hat, überquert sie manchmal die Straße, nur um in den Genuß des Schweigens zu kommen.

Bei dem ernsten alten Herrn herrscht eine vielsagende Unordnung, als hätten die Gegenstände, die so ziemlich überall und an den unpassendsten Stellen herumliegen, die Aufgabe, durch ihre Fülle das Fehlen der Worte zum Ausdruck zu bringen und auszugleichen. Dieser Kontrast ist Mireille, deren Wohnung (die sich in Wirklichkeit auf Küche und Schlafzimmer beschränkt) gewissenhaft aufgeräumt ist, nicht unangenehm. Denn Mireille geht beim Aufräumen methodisch vor. Sie schützt jedes Ding durch ein anderes, und sei es nur vor Staub, den sie übrigens liegen läßt, als wäre er der Hüter der Zeit. Manchmal bringt sie etwas in Unordnung, um das Vergnügen zu haben, wieder Ordnung zu schaffen. Alles, was sie von draußen mitbringt, bewahrt sie auf. Jede Papier- oder Plastiktüte wird wiederverwendet, entweder um alle möglichen Dinge einzuwickeln oder um andere Papier- oder Plastiktüten darin aufzubewahren.

Wenn sie einen Spaziergang macht oder im »Bon Repos« einen Mittagsschlaf hält, erfüllt sie der Gedanke, daß jedes Ding an seinem Platz ist, mit großer Genugtuung. Im Zimmer fünfundzwanzig, über den Begonien, geht sie genauso vor.

Bei dem ernsten alten Herrn gibt es auch geruhsame Augenblicke, in denen er unablässig rätselhafte Konstruktionen aus Holz und Pappe bastelt und sie ein Buch liest oder träumt und ihr dabei der Geruch des Leims zu Kopf steigt, desselben nach Mandeln duftenden weißen Leims, an dem sie heimlich hinter ihrem hochgeklappten Pult gerochen hatte, während die Lehrerin das Datum oben rechts auf die Wandtafel schrieb, als habe so jeder Schultag Mireilles feierlich markiert werden müssen.

Träumen ... Ein eher hochtrabendes Wort übrigens, um diese Augenblicke zu bezeichnen, in denen Mireille im Sessel sitzt, beide Hände auf den Rock gelegt, die Augen auf einen imaginären Punkt im Raum gerichtet, und ganz damit beschäftigt ist, an nichts zu denken, so wie sie es vor einiger Zeit, auch damals schon in Gegenwart des ernsten alten Herrn, im Park gelernt hat. An nichts zu denken und zu vermeiden, daß dieses Nichts seinerseits zu etwas wird, ist eine anspruchsvolle geistige Akrobatik, die Mireille weder mit Spiritualität noch mit Mystik verbindet. Es ist ein Zustand höchster Sinnlichkeit, bei dem nur der Körper in Bewegung ist, ohne die geringste Bewegung, eine Art, sich am Dahinfließen der Zeit zu beteiligen und selbst zu einem lebendigen, gefügigen Teil ihres Ablaufs zu werden.

Wenn Mireille aus dem Nichts auftaucht, hat sie das befriedigende Gefühl, sich den geruhsamen Luxus des Unvermeidbaren geleistet zu haben. Sie kann sich nicht entsinnen, daß Jacques ihr selbst in seinen besten Zeiten an diesem Punkt des Schwebens, wenn sich Leben und Tod vereinigen, jemals ein so köstliches Gefühl der Erfüllung gegeben hätte.

Der ernste alte Herr scheint sich damit auszukennen, denn in diesen Momenten blickt er von seiner Bastelarbeit auf und sieht Mireille leicht errötend an.

Manchmal stellt der ernste alte Herr, wenn es Zeit für die Nachrichten ist, das Radio an, doch anscheinend nicht so sehr, um zuzuhören, sondern um Kontakt zu halten, um grundsätzlich die Anstrengung zu machen, weiterhin an allem teilzunehmen, wenn auch ohne Überzeugung. Die Nachrichten, ähnlich wie der Anrufbeantworter, zwingen Mireille sowieso zu übermäßiger Konzentration. Sie werden in einer Sprache übermittelt, einer viel zu alten Sprache, die Mireille in einem Land gesprochen hat, aus dem sie schon vor so langer Zeit weggegangen ist, daß ihr Syntax und Vokabular inzwischen Mühe machen.

Wenn er das Radio ausmacht und sie wieder von Stille umgeben sind, seufzen der ernste alte

Herr und Mireille erleichtert auf. Und auch dann überkommt sie erneut ein Gefühl der Dankbarkeit den anderen gegenüber, all den anderen, die noch im Getümmel sind und mit gleichem Mut und gleicher Hartnäckigkeit weiterkämpfen, ohne Mireilles Zustimmung zu verlangen.

Selbst wenn sie an ihre beiden Verfolger denkt, Jacques und Colette, die der ernste alte Herr zu Recht in die Flucht geschlagen hat, ist sie gerührt. Vor allem wegen Colette, der sie schließlich von sich aus ein Treffen gewährt.

Sie denkt nicht gern an diese Begegnung im Park zurück, bei der Colette auf der Bank vor Machtlosigkeit geweint hat. Die Geschichte von der Dame in Blau hat die Freundin, die in noch engeren Jeans steckte als sonst und in bekümmernswert aggressiver Laune war, nicht sonderlich erschüttert. Colette ist als erste gegangen. Mireille hat noch das heftige, endgültige Knallen der eisernen Pforte in den Ohren. Und dann sagt sie sich, sie hätte Colette das nicht vorschlagen sollen. Ihr nicht vorschlagen sollen, es ihr nachzumachen ...

Mireille bleibt nie sehr lange bei dem ernsten alten Herrn. Sie kommt mit derselben Einstellung zu ihm, mit der sie auch in den Park oder ins »Bon Repos« geht: ohne dringenden Anlaß, allein aus Muße, denn ihr einziges Begehren ist das Nichtstun, nur das lenkt ihre Schritte von einem Ort zum anderen, ohne Druck und ohne Zwang. Doch was sie an diesen Besuchen bei dem schweigsamen Gefährten am meisten schätzt, ist der Umstand, einfach an der Seite eines Mannes zu sein, ohne etwas geben oder nehmen zu müssen, aus dem einfachen Grund, weil es nicht viel zu geben oder zu nehmen gibt. Denn auf diesem »nicht viel« beruht das auf keinen Vorteil bedachte gemeinsame Erleben der Stille und des Schauspiels der Welt, eine Gemeinsamkeit, die keines Beweises bedarf. Diesmal leistet sich Mireille den Luxus, mit einem Mann zu verkehren, ohne seine Männlichkeit einem Test zu unterziehen. Was für eine Freiheit – endlich, nach so vielen Jahren, in denen der Geschlechterunterschied, obwohl offenkundig genug, mit geradezu akrobatischen Leistungen und Schwüren bewiesen werden mußte!

Wenn Mireille mit kleinen Schritten im Haus gegenüber ebenso ruhig wie in ihrem eigenen die Treppe hinaufsteigt – ohne jenes anstrengende Herzklopfen vor jedem Rendezvous, das zwar Hoffnungen erweckt, aber auch Ängste und dunkle Vorahnungen auslöst, ohne die ermüdende Demonstration von Koketterie und die verschwenderische Fülle von Parfum und Flitterkram –, zweifelt sie so wenig an ihrer Weiblichkeit, daß sie es nicht für nötig erachtet oder erachtet hat, diese unter Beweis zu stellen. Daher ist Mireille überzeugt, daß der ernste alte Herr von allen Männern ihres Lebens weitaus am zufriedenstellendsten ist und sein wird.

Der Rhythmus der Anrufe hat sich tatsächlich verlangsamt.

Der Standardbrief hat seine Wirkung getan.

Jacques, von einem Blick erdolcht, hat also aufgegeben. Colette, milder gestimmt, hat sich in einem kurzen Brief entschuldigt; nicht dafür, was sie gesagt hat, sondern in welchem Ton sie es gesagt hat. Sie kündigt weitere Briefe an, hinterläßt aber keine Nachrichten mehr auf dem Anrufbeantworter.

Dank Delphines heller Stimme, die eines Morgens das Halbdunkel des Wohnzimmers erschüttert, um der Mutter mitzuteilen, daß sie aus Spanien zurück ist, begreift Mireille, daß mehr als drei Monate vergangen sind. Drei Monate?

Mireille läßt ihr Buch über die Vogelkunde auf die Knie sinken, ein informatives Werk, das ihr erlaubt, all diese gefiederten Kumpanen, die über ihr in der Kastanie piepsen, endlich beim Namen nennen zu können.

Die Tochter will gleich kommen, kann es nicht abwarten, wie sie betont hat, die Mutter zu sehen. Delphine hat sich, ohne Erstaunen zu äußern, die Adresse des »Bon Repos« aufgeschrieben, vielleicht hat sie geglaubt, es sei ein Gasthof.

Für Delphine sind drei Monate natürlich eine lange Zeit. Für Mireille dagegen handelt es sich dabei nur um eine einfache Abfolge von Tagen. Drei Monate, drei Tage, drei Jahre, was ist das schon für ein Unterschied.

Die Zeit hat dem neuen Rhythmus nicht widerstanden. Der große und der kleine Zeiger sind in gegenseitigem Einvernehmen einer anderen Zeitrechnung gewichen: dem gleichmäßigen Rascheln des Seidenkrepps, wenn er die Baumwoll- oder Nylonstrümpfe streift, je nachdem, wie kalt es draußen ist.

»Haben Sie Carotte nicht gesehen?«

Mireille richtet sich auf: die Dame mit dem

rötlichen Kater schwenkt fassungslos das leere Halsband hin und her.

»Nein, tut mir leid ...«

Ohne ihren rötlichen Kater wirkt die Dame mit dem rötlichen Kater gebrechlich.

»Vielleicht ... die kleine Emilie?« legt Mireille nahe.

Hat die Dame mit dem rötlichen Kater ohne den rötlichen Kater ihre Worte gehört? Sie hat sich schon ein paar Schritte entfernt. Zum erstenmal bemerkt Mireille, daß sie hinkt.

Mireille wendet sich wieder ihrer Lektüre zu. Was sie über den Kuckuck erfährt, gefällt ihr überhaupt nicht. Sie bereut es, sich so oft für den bukolischen Ruf der Kuckucksmutter interessiert zu haben, die, wie sie aus dem Buch erfährt, unfähig ist, ein Nest zu bauen, und ihre Eier von den Weibchen anderer Arten ausbrüten läßt, nachdem sie deren Sprößlinge aus dem Nest geworfen hat.

Auch wenn sich Mireille über nichts mehr aufregt, da sich Gefühlsaufwallungen schlecht mit der Ausübung des Nichtstuns vereinbaren lassen, erlaubt sie sich gelegentlich noch einen Stimmungsumschwung, besonders bei unvermeidlichen Gewalttaten, wie zum Beispiel jenen in der Natur. Kurz gesagt, die Kuckucksmutter verstimmt sie.

»Mama?«

Auf Grund des Kuckucks denkt sie übrigens wieder an Michel, den Mann mit dem dicken feuchten Arm, und dessen mitleiderregende Gefährtin. Jetzt ist sie sicher, daß das Vergehen der Frau darin bestanden hat, das Kind geopfert, aus dem Nest geworfen zu haben ...

»Mama?«

Delphine ist da, steht vor der Liege. Sie sagt »Mama?«, als stelle sie sich eine Frage, als habe sie Zweifel.

Mutter und Tochter fallen sich in die Arme, geben sich einen Kuß. Echte, wunderbare Zärtlichkeit, und für Mireille, die seit Monaten niemanden mehr im Arm gehalten hat, die Freude einer warmen, wohlriechenden Liebkosung. Delphine setzt sich auf den Rand der Liege. Sie schauen sich an.

Mireille findet, daß ihre Tochter glänzend aussieht, prachtvoll.

Delphines Blick drückt zwar eine gewisse Verwirrung aus, dieselbe, die Colette und Jacques zu der ebenso betrüblichen wie törichten Frage

»was ist denn mit dir los?« veranlaßt hatte. Aber anders als an dem Abend, als Delphine ihre Mutter zum erstenmal in dem grauen Kostüm gesehen hat, ist sie nun taktvoll genug, auf diese Frage zu verzichten (nicht so sehr wegen des grauen Kostüms übrigens, sondern eher vor Staunen über soviel gesunden Menschenverstand). Mireille ist darüber sehr erfreut, auch wenn sie von ihrer Tochter nichts anderes erwartet hatte, schließlich ist sie ihr Kind, um nicht zu sagen, ein Teil ihrer selbst.

»Gefällt's dir hier, Mama?« fragt Delphine nüchtern.

»Ja, sehr gut.«

Mireille ergreift die Hand des jungen Mädchens. Auf der einen Hand: Schattenblumen, kostbare Stickereien der Zeit; auf der anderen: kein Zeichen, keine Spur, die nackte, makellose Schönheit der Jugend. Auf den Liegen um sie herum wiegen sich alte Köpfe. Es ist Mittagsruhe.

»Hast du vor, lange zu bleiben?«

»Wie bitte?«

»Hast du vor, lange hier zu bleiben, Mama?« wiederholt Delphine ganz ruhig.

»Ja ... vermutlich ...«

»Du weißt es noch nicht, stimmt's?« folgert Delphine mit entwaffnendem Lächeln.

Anstelle einer Antwort streichelt Mireille die Hand ihrer Tochter. Delphine blickt sich um und sagt: »Die Begonien sind herrlich!«

»Nicht wahr? Lucien kümmert sich darum. Lucien ist der Gärtner. Es freut mich, daß sie auch dir gefallen! Mein Zimmer liegt genau darüber. Das ist praktisch, um sie wachsen zu sehen!«

»Und du, mein Schatz? Erzähl mir, wie's in Spanien war.«

Über eine Stunde erzählt die Tochter, und die Mutter hört zu, hört zu wie noch nie zuvor, aus einer ungewohnten Perspektive, von einem neuen Standpunkt auf dem Globus der Zärtlichkeit.

Zum Schluß lachen sie so laut über Delphines Vater, daß in der Ferne eine Krankenpflegerin den Zeigefinger auf die Lippen legt und auf die schlafenden alten Leute zeigt. Die beiden senken die Stimme.

»Und du, Mama, erzählst du mir alles?« flüstert Delphine mit gespielter Ungezwungenheit.

Mireille denkt an die Dame in Blau, an das gegenseitige Lächeln. Läßt sich das erzählen?

»Ich erzähl's dir ...«, verspricht sie dennoch und fügt dann unvermittelt hinzu: »Magst du Gemüsesuppe?«

»Schrecklich gern!« erwidert Delphine ohne das geringste Zögern.

Das hatte sie auch von Kaugummi, Salmiakpastillen und Pommes frites gesagt – vor noch gar nicht so langer Zeit. Oder vor sehr langer Zeit, vor drei Jahren, vor dreizehn Jahren, was ist das schon für ein Unterschied?

Eine herrliche Vorstellung. Mireille malt sich schon den gemütlichen Abend in der Küche aus, mit Fensterscheiben, die vom Porreedunst beschlagen sind: sie selbst als friedliche, beruhigende Vertraute. Delphine voller Eroberungsdrang, für die Zeitspanne, in der sie ihren Teller Suppe leert, in sicherer Verschanzung, ehe sie sich wieder dem Sturmangriff, dem Sperrfeuer der Heere von Liebhabern stellt ...

Die Vögel in der Kastanie sind außer Rand und Band. Einer von ihnen hackt mit schnarrendem Geräusch fieberhaft auf den Baumstamm ein.

»Siehst du, das da ist ein Kleiber«, erklärt Mireille. »Seine Besonderheit ist, daß er beim

Picken den Stamm mit dem Kopf nach unten hinablaufen kann.«

»Interessierst du dich für Vögel?« fragt Delphine und bemerkt das Buch, das ihre Mutter auf dem Schoß liegen hat.

»Für Vögel ... Für alles, für nichts ... eigentlich habe ich ...«

Mireille bleibt nicht die Zeit, den Satz zu beenden: Die Dame mit dem rötlichen Kater ist mit Carotte im Arm aufgetaucht. Sie humpelt nicht mehr.

»Sie hatten recht. Ich habe ihn bei der kleinen Emilie gefunden.«

Mireille stellt ihre Tochter vor. Die Dame mit dem rötlichen Kater strickt sogleich ziemlich grob nach dem Rechts-rechts-Muster eine ganze Reihe über die heutige Jugend, ein schönes Thema für Carotte.

Delphine, die davon direkt betroffen ist, hätte umgehend widersprochen, wenn ihre Mutter ihr nicht vielsagend zugeblinzelt hätte. Doch die Strickerin hat sich sowieso schon zum Gehen gewandt und nimmt das Tier als Zeugen für den Unterschied zwischen den Generationen.

Wohlverdiente Stille. Die Sonne peinigt nicht mehr die Zweige der Kastanie. Die Vögel beruhigen sich. Der Kleiber macht nicht mehr sein schnarrendes Geräusch und hat sich mit hoch erhobenem Kopf aufgerichtet.

Nebenan ist ein Herr aufgewacht. Er betrachtet eingehend seine Nachbarinnen, vor allem Delphine. Vielleicht versucht er, in einer der so lange verschlossen gehaltenen Kammern seines Gedächtnisses den leicht eingerosteten Fensterladen aufzubrechen, der früher vor der Silhouette eines Mädchens weit geöffnet war.

Delphine grüßt den alten Mann mit einem anmutigen Kopfnicken, wobei sie ihre dichte Mähne in den Nacken wirft.

Mireille betrachtet zärtlich dieses Haar, das dem ihren so sehr gleicht: dieselbe kohlschwarze Farbe, dieselbe leicht aufreizende Störrigkeit. Es hat gewissermaßen die Nachfolge angetreten, stellt, wenn das noch nötig wäre, eine weitere Befreiung dar. Der Gedanke, daß ihre Tochter sie ablöst, ist ihr höchst angenehm. Ein Beweis, daß die Natur nicht alles falsch macht wie etwa mit der Kuckucksmutter.

Delphine, die auch ihre Intuition von der Mutter geerbt hat, hat deren Blick gespürt.

»Der Knoten steht dir gut, Mama«, stellt sie ohne jeden Spott fest.

»Vor allem ist das sehr bequem«, erwidert Mireille hocherfreut. Und die grauen Haare, hat sie die grauen Haare gesehen?

Die Standuhr im Speisesaal schlägt vier. Es ist Kaffeezeit, Zwieback mit Butter, Kekse, warmer Kakao …

Delphine steht auf, als hätte sie verstanden, und zieht ihr äußerst kurzes, äußerst hübsches Stretchkleid weiter nach unten. Auch was die Beine angeht, ist es gut um die Nachfolge bestellt.

»So, ich mach mich jetzt auf den Weg …«, sagt sie schwungvoll.

»Willst du morgen abend kommen und eine Suppe essen … zu Hause, meine ich?« fragt Mireille und denkt dabei an die Meute von Verehrern, die sich auf die sehnigen braunen Beine stürzen und die Zähne in das so kurze, so hübsche Stretchkleid schlagen.

»Zu Hause …? (Das scheint Delphine zu überraschen, aber auch zu beruhigen.) Ja, ja, natürlich!«

Mutter und Tochter umarmen sich wieder, geben sich einen Kuß. Delphine hat ihre Tasche über die Schulter gehängt und tritt von einem Bein aufs andere. Diese Angewohnheit stammt aus ihrer Kindheit, wenn sie zögerte, etwas zu sagen, eine Angewohnheit, die sie, wie Mireille sich sagt, vielleicht das ganze Leben beibehalten wird.

Weitere alte Leute wachen auf, öffnen erstaunt die Augen. Es scheint, als könnten sie es nicht fassen, noch da zu sein, als hätten sie sich vor dem Einschlafen für alle Fälle auf die große Reise vorbereitet. Manche sind beruhigt, eher erleichtert, dieser Welt noch anzugehören, andere dagegen verwirrt und leicht enttäuscht.

»Weißt du, Mama ...«

»Ja, mein Schatz?«

»Eben, als ich hier angekommen bin, ist mir etwas Seltsames passiert.«

»So?«

»Ja ... Stell dir vor, auf den ersten Blick habe ich dich für Großmama gehalten! ... Verrückt, nicht?«

Verrückt? Wenn es verrückt wäre, warum hätte Mireille dann dieses strahlende Lächeln des Einverständnisses auf den Lippen, ein Lächeln in blauem Gewand?

Delphines Rückkehr ändert nichts am Leben ihrer Mutter. Vom vertrauten Porreegeruch ermutigt, hat Mireille schon bei der ersten Suppe alles erzählt. Sie hat deutlich gemerkt, daß Delphine ihren Bericht mit großer Aufmerksamkeit verfolgte, während die beiden am Küchentisch saßen und gemeinsam die weißen Bohnen für ein Cassoulet putzten, ein Gericht, von dem sich Mireille viel verspricht, nachdem sie aus Gründen der Diät und der Ästhetik, was sie heute geradezu erschüttert, viel zu lange darauf verzichtet hat.

Delphine hat sich also weder ungeduldig noch besorgt gezeigt, auch wenn sie mit ein paar klugen Bemerkungen durchblicken ließ, daß sie, so gut sie die Sache auch verstehen könne, nicht daran zweifle, daß das alles doch wohl nur vorläufig sei. Sie hat mehrmals gelacht und Interesse für die botanischen Studien über die Gräser gezeigt, die man nur bei den lateinamerikanischen Indianern findet. Bevor sie ging, bat sie sogar noch ihre Mutter, ihr das Fenster zu zeigen, aus dem der ernste alte Herr Colette und Jacques angeprangert hatte.

Seit diesem Abend, der für Mireille so wichtig ist, auch wenn sie fest entschlossen bleibt, auf die Frage nach der Vorläufigkeit der Änderungen in ihrem Leben weiterhin ausweichend zu antworten, stattet Delphine ihr regelmäßig Besuche ab, auch im »Bon Repos«, aber sie hat ihrer Mutter gestanden, daß sie eine Vorliebe für die Suppen zu Hause habe.

Man muß wohl sagen, daß ihnen diese Momente des vertrauten Beisammenseins unentbehrlich geworden sind, mehr noch als die im Restaurant »Chez Pierre«, wo sie sich früher, als sie noch beide in unzählige Liebeleien verwickelt waren, jeden Dienstagabend wie übermütige Schwestern gegenseitig ihre Abenteuer erzählt hatten.

Diesmal sind die Rollen klar verteilt: Delphine hat Feuer gefangen? Mireille dämpft. Delphine ist betrübt? Mireille tröstet. Von ihrer derzeitigen Warte aus hat Mireille wieder einmal den Eindruck, daß sie, besonnen, allmächtig, für alles ein offenes Ohr hat, auch wenn Delphine manchmal lächelnd zu ihr sagt: »Mama, jetzt schwafelst du aber«, was Mireille mit einem Lächeln hinnimmt.

Wenn die Tochter zum Abendessen kommt, bringt sie auf gut Glück ein Fläschchen Parfum oder eine modische Bluse als Geschenk mit, obwohl sie weiß, daß alles unten im Kleiderschrank in den Pappschachteln landen wird, in denen Mireille ihre ehemalige Kampfausrüstung aufbewahrt, und dann setzt sich Delphine auf den Küchenhocker in der Fensterecke. Auch sie kommentiert das Geschehen auf der Straße, aber vor allem berichtet sie aus der Stadt, Geschichten voller Trubel und Getöse, von denen Mireille der Kopf schwirrt, und schaukelt dabei im Rhythmus des Rührsiebs mit den Beinen.

Mireille läßt ihre Tochter erzählen und nickt ab und zu mit dem Kopf, ein praktischer Reflex, den sie im »Bon Repos« gelernt hat und der erlaubt, ohne große Anstrengung Anteil zu nehmen.

Manchmal hört Mireille auf, das Sieb zu

drehen, um besser die Seufzer oder Ausbrüche dieses Mädchenherzens zu hören, dessen seltsame Vielschichtigkeit sie erst heute entdeckt.

Wenn die Suppe in den Tellern dampft, ergreift Mireille das Wort, sagt, was sie denkt. Delphine schluckt alles gleichzeitig herunter, die Suppe und die Ratschläge.

Wenn ihre Tochter, gebührend mit Helm und Harnisch gepanzert, in voller Kampfausrüstung, um der Welt zu trotzen, spätabends das Haus verläßt, sagt sie in seltsamem Ton: »Danke, Mama«. Sie schwankt spürbar zwischen der Erleichterung, endlich eine Mutter zu haben, die weise geworden ist, und dem nostalgischen Wunsch, sie erneut an ihren Eskapaden teilhaben zu lassen. Und dort auf dem Treppenabsatz versäumt Mireille nie, der jungen Kriegerin den Friedenskuß auf die Stirn zu drücken ...

Die Wochen und Monate gehen weiterhin mit derselben Unbekümmertheit dahin, fügen sich ohne zwingende Notwendigkeit ineinander, ähnlich wie die Konstruktionen aus Holz und Pappe des ernsten alten Herrn, mit dem die abstrakte, stumme Romanze weitergeht.

Eines Nachmittags, kurz nachdem die Kinder aus der Schule gekommen sind und sich auf den Kuchen gestürzt haben, hat der ernste alte Herr Mireille ein Päckchen hingehalten und vier Worte gesagt: »Das ist für Delphine.« Woher weiß er, daß sie eine Tochter hat, und vor allem, woher kennt er deren Vornamen? Vielleicht hat er sie abends bei einem Besuch hinter der Cretonnegardine gesehen, oder aber die Dame mit dem rötlichen Kater hat ihm zu diesem Thema ein paar Maschen gestrickt.

In dem Päckchen, sorgfältig in Cellophan verpackt, ein Gefüge aus Holz und Pappe, das Delphine »toll« gefunden hat, vielleicht mit einer Spur von höflichem Entgegenkommen, das Mireille zwar nicht entgeht, das sie aber durchaus zu schätzen weiß ...

Während Mireille die Treppe hinuntergeht, hält sie sich vorsichtig am Geländer fest, weil ihr seit einiger Zeit leicht schwindlig wird beim Anblick der steilen Stufen, die sie oft fluchend, weil sie so spät dran war, wie eine Wilde hinabgestürmt ist, und denkt nun über ihr eigenes Gefüge nach, über das ihres neuen Daseins, das nur durch das Nichtstun und den Zufall zusammengehalten wird. Es ist schwer zu sagen, was jetzt noch dieses harmonische, freie Gefüge bedrohen sollte, das ganz darauf angelegt ist, für alle Zeiten zu dauern.

Kein Brief von Colette im Briefkasten. Das ist ein gutes Vorzeichen für das bescheidene Programm, das sich Mireille beim Frühstück zwischen dem Zwieback mit Aprikosenmarmelade, von der sie in der vergangenen Woche ein paar Gläser eingekocht hat, und dem Zwieback mit Akazienhonig ausgedacht hat. Sie hat die Absicht, mit dem Autobus an der Seine entlangzufahren.

Der 85 läßt lange auf sich warten, doch sie hat Zeit genug, und der frische Wind an diesem Nachmittag ist sehr angenehm. Außerdem hat sie ihre Nylonstrümpfe und das graue Kostüm angezogen. Noch mehr Leute reihen sich in die Warteschlange ein, die für diese Zeit und diese Haltestelle ungewöhnlich lang ist. Ungeduld kommt auf, man entrüstet sich: Die öffentlichen Verkehrsmittel in Paris sind auch nicht mehr das, was sie früher mal waren.

Mireille öffnet ihre kleine Handtasche aus geflochtenem Leder. Sie nickt und betupft sich die Augen mit einem bestickten Taschentuch.

Endlich kommt der Bus. Er ist überfüllt. Die Leute drängeln. Mireille wird hineingeschoben.

Sie hatte geglaubt, sie könne sich in Ruhe hinsetzen, um die Gegend zu bewundern, und nun steht sie eingequetscht zwischen einer Dame in den Sechzigern – durchaus elegant, mit einer Dauerwelle im weißen, leicht bläulich gefärbten Haar, jedoch mit einem Parfum von zweifelhaftem Geschmack, vermutlich Veilchen – und einer schwer mit Büchern beladenen Studentin, deren langes Haar Mireille an der Nase kitzelt.

Vor ihr sitzt ein Junge mit Kopfhörern. Man hört das schnarrende Geräusch der Musik, einen hektischen Rhythmus, der dem Jungen zu gefallen scheint, da er mit dem Fuß den Takt klopft.

Mireille zwängt sich zwischen ihren beiden Nachbarinnen hindurch und stellt sich vor ihn. Sie bringt zum Ausdruck, wie unbequem Stehen ist.

Da sie aus Mangel an Gelegenheiten schon lange nicht mehr in Wut geraten ist, weiß sie noch nicht, daß es Wut ist, die da in ihr aufsteigt, eine gesunde, weil berechtigte Wut über diesen ungezogenen Kerl, diesen Trottel, der nicht einmal weiß, daß man alten Leuten seinen Platz anbietet.

Was? Er bleibt vor ihr sitzen, ohne sich zu rühren, kommt nicht einmal auf diesen Gedanken?

Ärgerlich schwenkt Mireille ihr Handtäschchen über seinem Kopf hin und her. Sie seufzt überzeugend.

Das unentwegte Ruckeln des Autobusses ist unangenehm, aber noch unangenehmer ist die gleichgültige Miene des Jungen, der immer lauter mitsummt.

Mireille kann sich nicht länger beherrschen und explodiert: »Hören Sie mal zu, junger Mann, Sie könnten vielleicht aufstehen!«

Und dann geschieht das Unbegreifliche. Der Junge nickt. Ohne den Kopfhörer abzunehmen, steht er unverzüglich auf und überläßt bereitwillig, mit ausgesprochen liebenswürdigem Lächeln seinen Platz, allerdings ... der eleganten Dame mit dem bläulich gefärbten weißen Haar und dem zweifelhaften Parfum. Mireille ist wie vom Schlag getroffen, um nicht zu sagen gedemütigt. Sie steigt lieber sofort aus und wartet auf den nächsten Bus.

Erst viel später gönnt sie sich den lang erwarteten Augenblick: von der Uferpromenade am Pont Neuf auf die plätschernden Wellen der

Seine zu sehen, doch die Begebenheit im Bus hat ein Gefühl des Unwillens, des Unverständnisses bei ihr hinterlassen. Sie kann die Sache drehen und wenden, wie sie will, das Verhalten des Jungen mit dem Kopfhörer ist ihr unbegreiflich. Es bleibt ihr ein Rätsel, größer noch als jenes von Michel, dem Mann mit dem dicken feuchten Arm. Hat der Junge sie denn nicht angesehen? Offensichtlich nicht.

Auch das Plätschern des Flusses, das eine beruhigende Wirkung haben soll, kann ihren Ärger nicht verscheuchen. Sie beschließt, mit dem Taxi nach Hause zu fahren.

Dort erwartet sie eine Überraschung: Vor ihrer Tür liegt ein Strauß Rosen. Jacques' Zeilen sind erstaunlich einfühlsam. Ohne Nachdruck, ohne versteckte Anspielung möchte er nur, wie er schreibt, einen Gedenktag feiern. Um welchen Gedenktag handelt es sich? Mireille kann sich nicht erinnern, vor allem, weil sie nun findet, daß jeder Tag, der vergeht, es wert ist, gefeiert zu werden, aber es ist eine nette Geste, das gibt sie zu, auch wenn Rosen bei weitem nicht so interessant sind wie Begonien. Während sie die Vase mit den Blumen auf den Balkon bringt, damit ihnen die

Kühle der Nacht zugute kommt, und dabei an die äußerste Zurückhaltung ihrer Freundin denkt, die sie nicht mehr mit ihren Nachrichten und Briefen tyrannisiert, fragt sie sich, ob Colette und Jacques nicht von Delphine Instruktionen erhalten haben ...

Als Mireille die Balkontür schließt, entdeckt sie oben auf der letzten Scheibe eine wundervolle Spinne, die in ihrem Netz thront. Mireille spürt, daß ihr Herz schneller schlägt. Doch nicht mehr vor Entsetzen, wie noch vor gar nicht so langer Zeit, sondern mit der gleichen sonderbaren Rührung wie an jenem Tag, als plötzlich eine weiße Schleiereule im Arbeitszimmer ihres Vaters in den Kamin gefallen war. Sie entsinnt sich noch, wie sie die ganze Nacht bei dem Vogel gewacht hat, und erinnert sich vor allem an den seltsamen Blick der beiden übergroßen Augen. Am folgenden Morgen hatte Mireille beschlossen, daß der Tod der Eule nicht so schlimm war, sondern nur das Zusammentreffen zählte, daß nur die magische Begegnung zwischen einer weißen Schleiereule – aufgetaucht aus tiefer Nacht, aus dem Geheimnis der Natur – und einem kleinen siebenjährigen Mädchen in rosa

Schürze und mit Fingern voller Tinte überdauern würde ...

Mitten in der Stadt, in diesem Wohnzimmer, in dem es früher so hoch hergegangen war, sowohl am Tisch wie im Bett, ist nun auch die Spinne da, um einen Bund zu besiegeln, die Ruhe, die Einsamkeit zu würdigen, für die Stille, das Halbdunkel zu danken, das Fehlen der Putzlappen zu begrüßen, und um die wohlbemessene Langsamkeit, den neuen Rhythmus, das sanfte Wiegen zu krönen.

Mireille betrachtet lächelnd dieses Wesen, das jetzt ihr beschauliches Dasein teilt. Von nun an werden sie also zu zweit die friedliche Stille weben, die Zeit an den durchsichtigen Fäden ihres zurückgezogenen, kameradschaftlichen Lebens aufhängen, sich zu zweit in der Leere wiegen.

Mit dem festen Vorsatz, sich bei Gelegenheit ein Buch über Spinnenkunde zu besorgen, schließt sie vorsichtig die Tür zum Wohnzimmer.

Jeden Tag, wenn sie sich in ihre Laken gleiten läßt, genießt sie es aufs neue, nicht mehr erschöpft ins Bett zu fallen, sondern nur noch jene abendliche Trägheit zu verspüren, die nach Ruhe verlangt, nach einer eher behaglichen als dringend erforderlichen Entspannung.

Die Anwesenheit der Spinne läßt das ärgerliche Erlebnis im Bus, an das Mireille keinen Gedanken mehr zu verschwenden beschließt, in den Hintergrund treten.

Vom Nachttisch aus blickt die Mutter im grauen Kostüm Mireille aus einem Glasrahmen an, den sie eigens für das Foto aus dem Album gekauft hat.

»Sie könnte meine Schwester sein«, sagt sich Mireille wieder einmal, aber wundert sich auch wieder über den traurigen Blick, über die Schwermut, die das Gesicht ihrer Mutter überschattet, als habe das Alter ihren Zügen Gewalt angetan, Schmerz zugefügt.

Mireille seufzt vor Behagen, während sie langsam ihren Kräutertee schlürft. Sie ermißt ihr eigenes Glück angesichts dieser Schwester-Mutter, die so schmerzlich vom Alter verraten worden ist, ohne wie Mireille das Glück gehabt zu haben, ihm zuvorzukommen.

Eine sanfte Trägheit erfüllt ihren ganzen Körper, und dann sinkt ihr Geist, derselben Sanftheit erliegend, langsam in die Tiefe. Der Schlaf kommt ganz von allein, nachdem er dreimal höflich an das Tor zum Körper angeklopft hat, wohl wissend, daß er beim letzten Schluck des mit Honig gesüßten Eisenkrauttees erwartet wird.

Mireille geht durch die Stadt.

Als sie aus dem Park kommt, in dem sie nur dem Gärtner begegnet ist, der sie über das Aufheulen des Rasenmähers hinweg mit indiskreten Fragen verfolgt hat, während er sich über die armen Grashalme des Rasens, der für Carotte so wichtig ist, verbissen hermachte, verspürt sie plötzlich Lust, einen Bummel über die großen Boulevards zu machen. Das geht wohl auf den Traum der vergangenen Nacht zurück. Diesmal hat die Dame in Blau, statt plaudernd neben ihr herzugehen, ihr Gesicht verhüllt und ist auf rätselhafte Weise in der Menge verschwunden.

Mireille geht durch die Stadt, im unaufhörlichen Menschenstrom.

Neben ihr gerät der Strom ins Stocken. Sie läßt sich überholen. Im Vorbeigehen werfen ihr die Leute einen wütenden Blick zu, dann gehen sie schneller, fest entschlossen, sich dem Strom wieder anzuschließen, aufzuholen, das Tempo, den allgemeinen Schwung wiederzufinden, als hätten sie sich abgesprochen, als verfolgten sie dasselbe Ziel.

Mireille geht gemessenen Schritts weiter.

Sie schlendert, während die anderen rennen.

Die Hektik rings um sie her macht ihre Gelassenheit noch reizvoller.

Sie denkt an die Spinne, wie langsam und behutsam diese auf ihrem durchsichtigen Faden oben auf der letzen Scheibe balancierte. Auch Mireille folgt langsam und behutsam dem Faden ihres Schicksals, das keinen Zwang mehr kennt.

Bedächtig setzt sie ein Bein vor das andere, sehr gewissenhaft, schön im Takt, mit wohlbemessenem Druck des Fußes auf den Gehweg und sanftem Wiegen des Körpers.

Auf dem Boden bewegt sich der Schatten des blauen Huts sanft hin und her: eine Blume im Wind.

Mireille neigt den Kopf ein wenig, als lausche sie dem gleichmäßigen Rascheln ihres dunkelblauen Kleids aus Seidenkrepp, wenn es die hellen Baumwollstrümpfe streift. Von der Menge geht ein leicht säuerlicher Geruch aus, der Geruch eines Gewaltmarsches, hartnäckig wie die Müdigkeit. Dazu das hallende Dröhnen der Füße. Man möchte meinen, ein Trommelwirbel.

Mireille drückt ihre kleine Handtasche aus geflochtenem Leder an sich, um sich besser abzuschirmen, um sich besser vor all dem Brausen zu schützen, das sie umgibt ...

Zunächst ist es bloß ein Schatten an ihrer Seite, dann wird der Eindruck deutlicher: Jemand zögert. Verlangsamt den Schritt.

Eine Frau.

Auf dem Boden zeichnet sich ein Umriß ab, eine Silhouette in kurzem Kostüm und mit langen Haaren, Haaren, die im Wind flattern.

Die Frau hält inne. Auch sie läßt sich überholen. Mireille spürt, wie die Frau allmählich kleinere Schritte macht, in ihren Fußstapfen bleibt ...

Diese beiden Schatten, die sich jetzt gelassen und ungestört im selben Takt wiegen, passen gut zueinander, findet Mireille, mitten in diesem Wirrwarr ist ihr Rhythmus recht harmonisch.

Der Traum der vergangenen Nacht fällt ihr wieder ein, der Traum von der Dame in Blau, die mit unbekanntem Gesicht in der Menge verschwindet.

Mireille wendet den Kopf nicht zur Seite. Sie versteht. Und das Verstehen bringt sie fast zum Lachen.

Lange gehen sie so stumm nebeneinander her, bis die Frau kurz innehält, erneut zu zögern scheint.

Da sieht Mireille sie an.

Das Lächeln, das sie austauschen, gleicht einer Zustimmung. Die Frau biegt um die Ecke.

Das war es.

Die Frau entfernt sich sehr bedächtig, schön im Takt, mit wohlbemessenem Druck des Fußes auf den Gehweg und sanftem Wiegen des Körpers, den Kopf ein wenig geneigt, als lausche sie.

Mireille blickt hinter ihr her.

Zu behaupten, der Gedanke sei ihr gekommen, wäre übertrieben. Eher ein Impuls.

Ein Impuls drängt sie plötzlich, den Schritt zu beschleunigen.